Assaig, 6
DE BERNAT METGE
A JOAN ROÍS DE CORELLA

LOLA BADIA

DE BERNAT METGE
A JOAN ROÍS DE CORELLA

ESTUDIS SOBRE LA CULTURA LITERÀRIA
DE LA TARDOR MEDIEVAL CATALANA

EDICIONS DELS QUADERNS CREMA

Primera edició: novembre del 1988

Publicat per Quaderns Crema
Vallcorba editor, S.A.
F. Valls i Taberner, 2, baixos — 08006 Barcelona
(93) 212 87 66 — 212 38 08
FAX 418 22 17

© 1988 by Lola Badia

Drets exclusius d'edició:
Vallcorba editor, S.A.

ISBN: 84–7727–030–9
Dipòsit legal: B. 37.252–1988

Compost per Quaderns Crema
Imprès per Libergraf, S.A.
Relligat per Flama, S.A.

TAULA

*A la Maria Dolors Pàmies i a l'Alfred Badia,
quaranta anys després d'un 15 de setembre.*

JUSTIFICACIÓ

Ofereixo un llibre factici: no és el cas ni de plànyer-se'n (n'hauria volgut escriure un d'estructurat com a conjunt *ab ovo*) ni de sobrevalorar-ho (els sis textos responen a una idea de conjunt sòlida i inatacable; com a monografies exploren a fons els sectors vitals de la qüestió plantejada); en canvi, vull aclarir que la intenció que m'ha guiat en la confecció del volum depèn en gran part de la meva professió de docent universitari de literatura medieval, dintre de l'ordenació acadèmica espanyola que contempla l'existència del que avui s'anomena «àrea de filologia catalana». L'obligació de l'ensenyança m'ha induït a aclarir-me les idees per a disposar d'un entramat de fons teòric que em permetés de presentar quotidianament en públic no solament unes dades, col·leccionades i analitzades des dels temps de Milà per estudiosos com els dos Rubió, Bohigas, Batllori, Riquer i d'altres, sinó també una interpretació crítica solvent dels textos literaris cabdals que s'avingués amb la meva manera d'entendre'ls. Una obligació docent condicionada i condicionant. Si l'ensenyament universitari de la literatura catalana antiga hagués comptat amb una tradició acadèmica ininterrompuda des dels temps de l'esmentat pare fundador Milà fins als nostres dies, és evident que no tindria sentit que a les acaballes dels anys vuitanta del segle xx algú pretengués de presentar com una novetat un recull com el que ofereixo.

Jugo, en efecte, amb el factor novetat; en fer-ho, tanmateix, jo mateixa m'adono de com el gest s'explica per una circumstància ben precisa, que m'abstinc de qualificar: el discurs d'alta divulgació sobre literatura catalana medieval ha viscut sempre una vida ocasional i reduïda a un públic de futurs especialistes, escassos i incerts. El salt a l'actual massificació de les aules ha deixat els ensenyants amb les mans buides: quan pretenem d'apartar-nos del robust positivisme de la nostra tradició erudita, l'únic expedient que ens salva és la nostra reputada capacitat d'improvisació.

Penso en el problema que planteja explicar un Ausiàs March atractiu per a estudiants de lletres que no han d'esdevenir necessàriament filòlegs

medievalistes o en el que comporta fer interessant, més enllà de la pura
anècdota, la narrativa en prosa i en vers dels segles xiv i xv. Aquests dos
exemples il·lustren casos especialment urgents, en el sentit que afecten els
productes més «vendibles» de les antigues lletres catalanes. Aquí abordo
una altra qüestió, implicada en sectors literàriament parlant menys visto-
sos, però, segons que sembla, bastant fonamentals pel que fa a la concep-
ció del marc conceptual dintre del qual inscrivim la història literària, per
una banda, i la lectura mateixa dels textos antics, per l'altra.

Es tracta de la qüestió de l'anomenat «humanisme català», una etique-
ta historiogràfica present a la tradició erudita «canònica» per a designar
l'entrada del classicisme en la Corona d'Aragó del darrer segle xiv i que
serveix per a introduir en una data, primerenca respecte de Castella, les
nostres lletres medievals en l'àmbit general del renovament cultural euro-
peu, iniciat per Petrarca i seguidors, que havia de conduir a l'eclosió del
Renaixement. Ja fa una colla d'anys que se'm va fer urgent la idea que calia
«ridimensionare» el plantejament d'aquesta qüestió: per a poder explicar
història de la literatura catalana dels segles xiv i xv sense arrossegar llasts
ideològics per a mi molestos i per a poder emprendre un, també per a mi,
apassionant exercici de redescobriment del sentit dels textos afectats del
suposat «humanisme».

M'apresso a aclarir que la declaració de guerra que acabo de formular a
l'etiqueta «humanisme català», referida a un període substancial de la his-
tòria cultural tardomedieval, no comporta per la meva banda cap voluntat
d'empetitir o d'enfosquir la importància i el valor de la vitalitat intel·lec-
tual dels regnats del Cerimoniós, dels seus dos fills i successives seqüeles.
Tracto tan sols de veure les coses des d'una perspectiva no hipotecada per
l'apologètica nacionalista nascuda del Noucentisme. D'altra banda, el
lector podrà apreciar que en cap cas no pretenc d'estar neutralment pel da-
munt de la inevitable afecció sentimental que tot estudiós sent per l'objec-
te dels seus maldecaps.

De les dues parts en què he dividit el volum, la primera és la que corres-
pon millor a les exigències d'una visió de conjunt del problema que plan-
tejo, ja que els tres textos que enclou pretenen d'enfrontar de ple la qüestió
de l'anomenat «humanisme català»; el primer (text 1) analitzant la gènesi
de l'expressió a partir d'un famós estudi pioner d'Antoni Rubió i Lluch;
els altres dos (textos 2 i 3) en la mesura en què són reflexions lliures d'erudi-
ció menuda sobre l'abast del canvi d'enfocament que implica la proposta

d'honorable jubilació de l'etiqueta que m'ocupa. Val a dir que els dos darrers treballs, escrits a una distància de sis o set anys de l'anterior, revelen una major confiança de qui els escriu en la viabilitat de les pròpies propostes: una confiança que es consolida en la mesura en què troba el suport dels exercicis pràctics d'aplicació que constitueixen la segona meitat del volum i d'altres factors tan fonamentals com la publicació recent de treballs sobre la matèria que ens ocupa i d'altres d'afins d'estudiosos de noves lleves.

Si en aquesta segona part només parlo de tres autors, Metge, l'anònim del *Curial* i Corella, no és perquè cregui que són els únics afectats pels aires de la «nova cultura» humanística que venia d'Itàlia. Sobre March i els clàssics, sense anar més lluny, vaig publicar un article al número 22-23 d'*Els Marges*, que em permeto de creure que no és dolent del tot, però ja ha estat reproduït generosament en una antologia (*Anàlisis i comentaris de textos literaris catalans*, 3; Barcelona: Curial, 1985) i em semblaria excessiu reincidir-hi.

Hauria pogut parlar, doncs, de Felip de Malla, de Martorell, d'Isabel de Villena o de Pero Martines; segons la meva manera de veure, es poden analitzar de forma fructífera les relacions amb el sector classicitzant de la cultura tardomedieval de tots els nostres escriptors des dels temps de Metge als de Corella; quan calgui, per defecte. Si he escrit, doncs, sobre aquests dos (textos 4 i 6), és perquè són els autors més representatius del vessant classicista de les antigues lletres catalanes, als dos extrems de les tres o quatre generacions que van protagonitzar l'època històrica que ens ocupa (en números rodons des del 1380 al 1500). L'anònim del *Curial*, en canvi, que no és un classicista «militant» de la mena dels altres dos, des de la seva palesa consciència de novel·lista, d'*outsider* dels *studia humanitatis*, és qui més m'ha ajudat a perfilar el to de l'afecció als antics de l'home culte mitjà de la tardor medieval catalano-aragonesa; la seva manera de prendre en consideració el que ell anomena la «reverenda letradura» (vegeu el text 5) em sembla que pot ser objecte encara de moltes reflexions (de fet, tinc en premsa un segon treball sobre aquesta qüestió, que d'altres també han advertit i analitzat en estudis de propera aparició).

Així doncs, el present volum d'assaigs ve a ser com el final de la primera etapa dels meus estudis sobre l'afer «humanisme català»: la clarificació del marc ideològic i els exercicis de lectura de textos antics que ofereixo haurien de ser vistos tot just com un preludi. És per això que no puc passar per alt una mancança evident del volum en qüestió: si l'«humanisme català», de què ens parla la nostra tradició erudita, tenia un pinyol central de traductors i traduccions, sembla força enraonat d'explorar sistemàticament aquest camp. Ara, he trobat poc oportú d'introduir en el present recull cap de les exploracions puntuals que he dut a terme fins avui: és assenyat deixar que les coses madurin.

Els textos que ofereixo en aquest volum factici són idèntics en el fons a les respectives versions originals: he corregit diversos errors advertits des de fa temps, he modificat la redacció de determinats passatges, he retallat ocasionalment informacions sobreres, però també he hagut d'afegir escolis (text 4) per a apedaçar oblits.

No voldria acabar aquesta justificació sense lloar dues virtuts de l'amic i editor Jaume Vallcorba: la fe i la paciència que li han permès d'esperar que em decidís a lliurar-li un original que li tenia promès des de qui sap quan. Si l'entretenia i el demorava era perquè el volia el més arrodonit possible: només espero no haver complert la promesa, a més de tard, a la lleugera.

LOLA BADIA
Tardor de 1987

LLOC DE PUBLICACIÓ ORIGINAL DELS TEXTOS

1. *Actes del Cinquè Col·loqui Internacional de Llengua i Literatura Catalanes* (Andorra, 1-6 d'octubre de 1979), Montserrat: Publicacions de l'Abadia, 1980, pp. 41-70.
2. *Revista de Catalunya*, Núm. 8 (maig 1987), 143-55.
3. *Llengua & Literatura*, Núm. 2 (1987), 590-4.
4. *El Crotalón. Anuario de Filología Española*, Núm. 1 (1984), 831-40.
5. *Caplletra. Revista de Filologia de la Universitat de València*, Núm. 2 (1987), 5-18.
6. Ponència per al «Segundo Congreso de la Asociación Hispánica de Literatura Medieval», Segòvia, del 5 al 7 d'octubre de 1987 (se'n publicaran les actes).

I
UNA QÜESTIÓ DE NOMS

L'«HUMANISME CATALÀ»:
FORMACIÓ I CRISI D'UN CONCEPTE HISTORIOGRÀFIC

1. INTRODUCCIÓ

Parlar de la crisi dels valors és un tòpic, però això no impedeix que tots plegats estiguem deixant de creure en la majoria de coses que abans de la Guerra Civil semblaven objectivament valuoses. Vegeu, si no, el cas del conjunt ideològic que la tradició immediata ens ha llegat sota el nom d'humanisme. En aquest àmbit crec que poden ser representatives de la consagració definitiva d'aquesta crisi, tant la presentació que Carles Miralles fa de les *Elegies de Bierville* de Riba en un llibre aparegut no fa gaire, com les reflexions que li suggereix l'humanisme militant del poeta.[1]

Miralles, pensant potser en el distanciament d'un públic aliè al tramat culturalista que connota el poema, s'explica el text de Riba des de fora de totes les posicions i de tots els principis del poeta. És una sana precaució metodològica, que indica, però, fins a quin punt, fins i tot els qui ara exerceixen d'hel·lenista poden acarar-se de manera diferent a determinats vells valors.

És aquesta necessitat de mirar tot el que fa referència a l'humanisme «des de fora», allò que voldria fer meu; malgrat que, com en el cas de Miralles, després resulti que encara hi hagi secretes adhesions emotives.

Segurament que no trobaríem gaires mots del nostre vocabulari tan susceptibles com el mot humanisme de designar coses diferents, bé que en el fons resulta que es relacionen íntimament entre elles; tanmateix el sentit en què l'entenc aquí és el que ja veurem que comporta l'etiqueta historiogràfica que s'indica en el títol d'aquest treball; etiqueta que hom va emprar per a batejar, en principi, les dues darreres dècades del segle XIV i la primera del XV i que, més tard, s'ha anat deixatant fins a incloure el XV,

---

[1] Carles Miralles, *Lectura de les Elegies de Bierville* (Barcelona: 1979), pp. 105-14. Pel que fa a les adhesions emotives que esmento més avall, pp. 7-9.

el xvi i, fins i tot, el xvii (després d'un canvi de sentit substancial, és clar).[2]

No hi ha dubte que en la nostra tradició l'«humanisme català» es relaciona amb Bernat Metge — el de *Lo Somni* —; de Bernat Metge — nom que hom imposarà a la fundació homònima cinc segles més tard — es passa a altres maneres d'entendre l'humanisme que connecten, entre altres coses, amb un dels temes centrals de la història de la nostra cultura moderna: la línia que des d'Eugeni d'Ors — o si voleu dels precursors dels temps de la Renaixença, com ens ha ensenyat Eduard Valentí — va fins a Carles Riba.

En la tradició crítica internacional l'humanisme històric es vincula, en principi, als conceptes d'Edat Mitjana i de Renaixement i, com que la plurivalència d'aquests termes, d'ençà que ha fet crisi l'idealisme burckhardtià, és marejadora, el valor del terme humanisme cobreix un ventall de significacions que pot anar des de l'ofici dels qui s'ocupaven dels *studia humanitatis* el xv, fins a una teoria ètica i filosòfica determinada, o fins a un període de la història de la cultura.[3]

---

[2] Quan l'estudi de l'humanisme esdevé l'estudi de la història de la filologia, es comença a establir un lligam entre el xv i el xvi (a través de la impremta). Però la continuïtat xvi-xvii és evident també. Vegeu com, per exemple, Jordi Rubió i Balaguer, estudiant l'humanisme del xvi en la seva ponència del VIIIè Congrés d'Història de la Corona d'Aragó (València: 1967), «Humanisme i Renaixement», vol. II del tom III (1973), pp. 9-36, proposa de dur a terme una recerca filològico-documental que arribi fins a la darreria del xvii.

[3] No cal glossar la complexitat que ofereix a hores d'ara el debat sobre l'Edat Mitjana, l'Humanisme i el Renaixement en la cultura europea des del segle xi al xviii perquè és prou coneguda de tothom. Vegeu en aquest sentit les reflexions de Ruiz Calonja contingudes a l'article «Anotacions sobre l'humanisme» citat infra a la nota 59. Al meu entendre, dels molts elements de relativització que, d'ençà de la «revolta dels medievalistes» dels anys vint-trenta, hom ha anat introduint per a desqualificar el vell esquema que oposa l'Edat Mitjana al Renaixement, el més revelador és que en el fons hi hagi tants humanismes i renaixements com branques de la investigació. Vull dir que un historiador de l'art tendirà a fer iniciar determinats canvis a partir del Trecento, mentre que un historiador de la ciència no els podrà datar fins al xvii, i això naturalment farà que canviïn per a cada un d'ells la concepció del motor i de les circumstàncies del canvi. Per això em sembla prudent, ja que m'ocupo d'història de la literatura, d'adherir-me d'entrada a les posicions d'alguns grans mestres del ram que, com Curtius, posem per cas, desconfien de les comparti-

Moure's en el món dels estudis generals i en el de la nostra tradició no és feina fàcil, sobretot si hom pretén d'arribar a formulacions definitives que resolguin per sempre més els problemes. Per això aquí em proposo tan sols de passar revista a les grans aportacions de la crítica que primer van fer quallar l'expressió «humanisme català» i que després van descalçar les bases d'aquesta construcció historiogràfica. És un procés que ja era madur abans de la Guerra Civil i que té la seva lògica continuació a la postguerra.

Étienne Gilson va escriure en un seu famós article, en què defensava l'existència d'un humanisme medieval (en polèmica contra les tesis idealistes que des dels temps de Burckhardt i de Voigt proposaven un tall dialèctic entre Edat Mitjana i Renaixement), que «pour savoir ce que furent le Moyen Âge et la Renaissance, il ne faut, donc, pas les définir *a priori*, puis en écrire l'histoire, mais en écrire l'histoire, puis les définir».[4] És una afirmació que, ara, de tan assenyada ens sembla òbvia, però que pot ser útil

---

mentacions massa estretes i tendeixen a veure en la història de la literatura europea un contínuum que va de l'any mil a la Revolució industrial. Al seu interior la crítica descobreix un aiguabarreig d'ideologies i d'actituds culturals que només una detinguda anàlisi ha de poder reduir a esquemes manejables (però no per això únics o definitius). L'humanisme és, així, un dels ingredients que la crítica detecta en aquest aiguabarreig; en principi es tracta de l'estudi crític i personal dels textos clàssics i de la utilització creativa de tot allò que hom en pot extreure: des d'un major coneixement de la retòrica i dels recursos d'estil fins a l'assimilació de determinades nocions d'història, de filosofia o de política. De tot plegat l'essencial és, però, el tracte amb els textos, un tracte que comporta bàsicament el coneixement profund de la llengua en què són escrits (llatí, en principi, després grec i les llengües bíbliques) i l'obsessió per aconseguir una versió més i més correcta del text mateix com a fonament de tota activitat posterior. L'humanisme no és més que l'obra dels humanistes, és a dir d'uns professionals de les lletres, o més ben dit dels «studia humanitatis» que, a més de la seva feina pròpiament dita, van desenrotllar també tota una filosofia del viure lligada a la seva professió, que va anar variant al llarg dels segles (des dels precursors del IX i del XII, a Petrarca, a Valla, a Erasme), tot i que en general es manté dintre d'uns cànons previsibles. Que consti que tot això no vol ser una definició d'humanisme amb pretensions de validesa general, sinó simplement la descripció del terme tal com el manejo en aquest paper, reduïda al mínim indispensable.

4 «Humanisme médiéval et Renaissance», *Les idées et les lettres* (París: 1932), p. 194.

per a descriure el món d'on va sortir el nostre «humanisme català». En termes generals abans dels anys trenta predomina el procediment de «le définir *a priori*, puis en écrire l'histoire», després, l'invers. En el benentès que la formulació de Gilson és aplicable tant a Rubió i Lluch com a Burckhardt a títol de representants de la primera etapa: respon a tota una era de la historiografia europea.

Aquest paper no pretén ser ni omnicomprensiu bibliogràficament ni exhaustiu pel que fa a la història de la cultura catalana dels segles XIX i XX que s'hi implica de ple: és simplement una primera etapa de clarificació per a una recerca sobre certs ingredients «humanístics» de la cultura catalana de la tardor medieval. En aquest sentit el propòsit final seria d'arribar a proposar una explicació històrica de per què en un determinat moment l'expressió «humanisme català» fa sentit i de per què, després, malgrat la llarga supervivència, va deixant de fer-ne.

II.   Des de «El Renacimiento clásico» a l'«humanisme català»

A.   Seria francament abusiu parlar d'una consciència historiogràfica d'«humanisme català» abans de l'any 1889, és a dir, abans del gran article fundacional d'Antoni Rubió i Lluch, «El Renacimiento clásico en la literatura catalana», i de la publicació de l'edició prínceps de *Lo Somni* de Bernat Metge a cura de Josep Miquel Guàrdia, simultàniament a París i a Barcelona. Malgrat tot, almenys des del 1450, tenim constància documental que algunes persones havien pres nota de determinats trets culturals, presents en la nostra història a partir de la segona meitat del XIV, que segles més tard s'havien de convertir en definidors de l'«humanisme català», a saber: els contactes amb Grècia, l'*alma mater*, i l'existència de determinats traductors de clàssics a la llengua vulgar, entre els quals destaca Bernat Metge. Em refereixo concretament a dos «humanistes catalans», subministradors de dues informacions clau: el Cardenal Margarit, que en el famós discurs que pronuncià a les Corts del 1454 al·ludeix al fet que Catalunya «havia convertides en sa lengua cathalana» Atenes i Neopàtria;[5] i Ferran Valentí, que en el no menys conegut pròleg a la seva traducció de les *Para-*

---

[5] Robert Brian Tate, *Joan Margarit i Pau, cardenal i bisbe de Girona* (Barcelona: 1976), pp. 339-42.

doxa de Ciceró enumera els precursors que ha tingut en aquesta tasca, tot assignant un lloc de peoner a «Bernat Metge, gran cortesà e familiar real» i a la seva «gran Visió e Sompni».[6] No en va s'ha dit que una de les característiques dels intel·lectuals innovadors del xv, els humanistes, és l'adquisició d'una certa consciència històrica.

És molt probable que hom pugui exhumar referències intermèdies, però jo no conec cap altra notícia de Metge o de la presència dels corrents culturals que ens interessen, fins al 1836, és a dir fins a les *Memorias* de Torres Amat, o fins al 1849, és a dir fins al *Suplemento* de Corminas.[7] A la pàgina 176 d'aquest darrer text s'esmenta la traducció del *Valter e Griselda*, obra de Bernat Metge, «petrarquista». Una ràpida ullada a la bibliografia del segle xix permet d'aïllar certes observacions interessants, en el sentit que mig anuncien una visió crítica del que més tard serà l'«humanisme català».

En el *Bosquejo* de Pers i Ramona[8] hom pot llegir que «esta especie de revolución en la corte y en las costumbres», que es va produir entorn de Joan I, «ejerció una poderosa influencia en el progreso de las ciencias y de la poesía vulgar». També s'observen amb admiració el «donoso estilo», la «pureza» i l'«estructura gramatical» dels discursos de Martí l'Humà. En canvi Camboliu, al seu *Essai sur l'histoire de la littérature catalane* del 1858,[9] es fixa en un altre tret d'època (una època que fa anar «depuis le milieu du xive siècle jusqu'au milieu du xve»): «l'imitation des littératures italienne, française et néoprovençale», «importées pêle-mêle dans la contrée et imitées à l'envi». Com veurem, al costat del concepte d'«humanisme català», com a fruit d'un període original i creatiu, subsistirà, anys a venir, l'opi-

---

[6] Ferran Valentí, *Traducció de les «Paradoxa» de Ciceró*, text, introducció i glossari de Josep M. Morató (Barcelona: 1959), p. 41. Per als lectors medievals de Metge, veg. més avall el text 4, apartat II.

[7] Félix Torres Amat, *Memorias para ayudar a formar un diccionario crítico de escritores catalanes* (Barcelona: 1836), facsímil (Barcelona-Sueca: 1973), p. 416, i Juan Corminas, *Suplemento al diccionario crítico de los escritores catalanes* (Burgos: 1849), facsímil (Barcelona-Sueca: 1973).

[8] Magín Pers y Ramona, *Bosquejo histórico de la lengua y la literatura catalana desde su origen hasta nuestros días* (Barcelona: 1850), p. 55.

[9] F.-R. Camboliu, *Essai sur l'histoire de la littérature catalane*. Deuxième édition augmentée de la *Comedia de la Gloria d'Amor* de Fra Rocabertí et d'un nouveau fragment de la traduction catalane de Dante (París: 1858), pp. 10 s.

nió, abonada bàsicament per erudits estrangers, que les novetats de finals del XIV són pura imitació d'Itàlia o de França.

Amador de los Ríos,[10] per la seva banda, parla pròpiament de la presència d'humanistes dins de l'ambient cultural català del XV. El punt de partida és la cort d'Alfons el Magnànim a Nàpols. Entre tots els esmentats n'hi ha un que li mereix un particular encomi: Jeroni Pau, que «brillaba sobre todo como poeta latino, conquistando en Nápoles, Bolonia y Roma la estimación de los que cultivaban en igual sentido las artes del Renacimiento».

Pel que fa a Milà i Fontanals, és de notar que no se li va ocórrer d'esmentar cap tret propi de l'humanisme o del renaixement dels segles XIV i XV en la revisió de les glòries literàries medievals que va fer en el seu «Discurs presidencial dels Jocs Florals» del 1859;[11] anys a venir, en canvi, quan donà la primera notícia del *Llibre de Fortuna i Prudència* de Bernat Metge,[12] ja oferí una mínima valoració del personatge, autor d'un *Somni* que recorda el d'Escipió descrit per Tul·li: «Bernat Metge paraît avoir été un homme entreprenant. À le juger par ses écrits, c'était un de ces esprits hardis et inquiets»... «il est ... plus philosophe que poëte». El judici enriqueix l'anterior del 1865 a la «Ressenya històrica».[13]

Finalment en els judicis que Menéndez Pelayo, a la seva *Historia de la poesía castellana en la Edad Media*,[14] expressà entorn del fenomen «humanisme català», hi són ja presents les aportacions de Rubió i Lluch: «La corte de Alfonso V es el pórtico de nuestro [de Castella] Renacimiento» (p. 250); «El Renacimiento latino en las regiones del Levante de España se adelantó medio siglo respecto a Castilla» (p. 265); «... esta corriente clásica modificó en el siglo XV la literatura catalana vulgar, dando rápida perfección a la prosa en manos de Canals i Bernat Metge» (p. 267).

---

[10] José Amador de los Ríos, *Historia crítica de la literatura española*, VI (Madrid: 1863-1865), pp. 411-5.

[11] Manuel Milà i Fontanals, «Discurs presidencial dels Jochs Florals de 1859, any primer de llur restauració», dins *Obres catalanes* (Barcelona: 1908), pp. 4-7.

[12] Manuel Milá y Fontanals, *Obras completas*, III (Barcelona: 1890), pp. 378-91.

[13] Manuel Milà i Fontanals, «Ressenya històrica i crítica dels antichs poetes catalans», Premi extraordinari en els Jochs Florals de 1865, dins *Obres catalanes*, p. 36.

[14] Marcelino Menéndez Pelayo, *Historia de la poesia castellana en la Edad Media*, II (Madrid: 1914). Obra començada a redactar el 1890.

B. L'any 1889 és una data clau en la història del concepte d'«humanisme català», no pas perquè s'encunyi l'etiqueta en qüestió — això encara es farà esperar — sinó perquè es produeix la primera gran aportació de material crític i erudit sobre el tema, i molt especialment sobre el que més tard serà «el primer període de l'humanisme català», el més mitificat, el de Bernat Metge i del rei Joan. Com he dit més amunt, es tracta de les aportacions d'Antoni Rubió i Lluch[15] com a erudit i historiador de la literatura i de Josep Miquel Guàrdia com a editor de *Lo Somni*.[16] L'un i l'altre tenen una cosa en comú: una certa militància classicista.[17] En aquest sentit crec que la tasca que van dur a terme per separat[18] es pot interpretar com la convergència d'unes determinades concepcions programàtiques de la cultura en la valoració del passat literari de Catalunya. Rubió i Lluch estructura el seu article com un estudi de la pervivència dels clàssics en la tradició catalana de tots els temps. Guàrdia assenyala Metge com a model de prosa, el model clàssic que necessita la moderna literatura per tal de sobreviure.[19]

El *Renacimiento clásico* és escrit en un to polèmic i reivindicatiu; la calorosa retòrica vuitcentista que l'embolcalla n'és una bona prova. Després

[15] Antonio Rubió i Lluch, *El Renacimiento clásico en la literatura catalana*, discurso de recepción en la Real Academia de Buenas Letras de Barcelona (1889).

[16] J. M. Guàrdia, *Lo Songe de Bernat Metge, auteur catalan du xive siècle, publié et traduit pour la première fois en français, avec une Introduction et des Notes par* — (París-Barcelona: 1889). Guàrdia va estampar el text de Metge segons el manuscrit de la Biblioteca Nacional de París, que la crítica posterior no considera pas el millor.

[17] Vegeu Eduard Valentí, «Presència de la tradició clàssica en la Renaixença catalana», dins *Els clàssics i la literatura catalana contemporània* (Barcelona: Curial, 1968), p. 15-54. A la pàgina 26 s'esmenta la vocació classicista de Rubió i Lluch, i a la 30, la del metge i filòsof Josep Miquel Guàrdia. Per a aquest segon, vegeu també Tomás Carreras Artau, *Estudios sobre médicos filósofos españoles del siglo XIX* (Barcelona: 1952), p. 128. Rubió i Lluch és vist també com a hel·lenista en l'article de Jaume Medina, «Sòfocles i Eurípides traduïts per Carles Riba», *Els Marges*, Núm. 13 (1978), 102.

[18] Guàrdia afegeix a la pàgina ciii de la seva Introducció a *Lo Somni* (*op. cit.*) una nota en què diu que ha conegut l'existència d'*El Renacimiento* un cop llest el seu llibre. Anàlogament Rubió, a la nota 3 de la p. 58, dóna notícia de l'edició recentíssima de Guàrdia.

[19] Això ho diu a la Introducció de *Lo Somni*, repetidament esmentada, i a tres articles que va publicar significativament a «L'Avenç» els anys 1891-1892 («La font de la Vida», «Antigs e moderns» i «Escola Catalana de bones Lletres»).

de descriure la presència de la «sombra augusta de Roma» sobre l'Edat
Mitjana dels anys més foscos, l'autor detecta alguns símptomes de represa
cultural a partir de l'època de Jaume I; una represa que esdevé expansió,
així que avança el segle XIV: fou un segle «áureo y clásico» (p. 44). Un dels
grans temes és la presència dels descendents dels almogàvers a Atenes i
Neopàtria; l'autor explica per què no hi hagué contactes culturals directes
entre grecs i catalans, però ens recorda l'elogi de l'Acròpolis de Pere el Ce-
rimoniós, testimoni únic en el seu gènere. Un altre tema és el fet que es po-
den detectar motius clàssics en la literatura catalana i que abunden les tra-
duccions de llatins i d'italians: tot i que destaca el caràcter cavalleresc i
medieval d'aquests motius i d'aquestes traduccions, l'autor escriu que Ca-
talunya «recibió la primera las semillas del Renacimiento italiano que las
brisas del Mediterráneo llevaron a sus playas» (p. 53). En aquest sentit cal
remarcar la presència — retòrica aquí encara — del Mediterrani, i la insis-
tència en la precocitat del nostre despertar als nous temps: el «Renaci-
miento, cuya alborada primera llegó a estas costas orientales de España,
antes que á las letras castellanas y portuguesas...» (*ibid.*). Un altre tema és
encara la personalitat de Joan I, «el primer monarca que en nuestra patria
sintió el espíritu del Renacimiento» (p. 58). Metge i Canals constitueixen
el darrer gran tema del XIV. «Dos verdaderos y primeros renacientes de la
literatura catalana, si bien no con un carácter tan humanista como en Ita-
lia» (p. 59).[20] En el benentès, però, que ho foren «antes que en Castilla»
(*ibid.*) n'hi hagués.

Metge és vist amb l'òptica amb què De Sanctis veia Boccaccio: com a
possessor del «desenfado casi herético de los futuros hombres del segundo
Renacimiento» (p. 61).[21] A part del valor de la construcció historiogràfica
que comporta, el treball de Rubió és també important com a acumulació
de dades erudites de primera mà. En aquest sentit totes les pàgines dedica-
des al XV són plenes de notícies innovadores. El rei Martí és titllat d'«hu-
manista i orador gentil» (p. 67). La cort d'Alfons el Magnànim rep una es-

[20] Voldria fer notar que l'apologia del Renaixement català que fa Rubió i Lluch
no li impedeix d'apreciar la diferència que hi ha entre un Metge i un Jeroni Pau: un
hàbil prosista en vulgar i un poeta en llatí. Cf. més avall. Anys a venir aquesta dis-
tinció s'esborrarà sota l'etiqueta d'«humanista» que els englobarà tots dos, per bé
que Rubió procurarà deixar sempre clares les coses.

[21] Rubió ofereix un quadre extens de les fonts de *Lo Somni*.

pecial atenció, i pel que fa a Jeroni Pau, es destaca «el cendrado humanismo de este conspicuo renaciente catalán». Són enumerats traductors, coneguts i anònims; Roís de Corella és jutjat amb duresa i tractat de «gongorista» i de decadent (p. 90).

La conclusió és que el Renaixement català fou un fenomen prematur i frustrat i, si el castellà el va acabar vencent, va ser per causes polítiques (l'imperi espanyol). Es tracta alhora d'un plany per la decadència que sobrevingué amb el xvi i d'una calorosa reivindicació d'aquesta brotada primerença[22] del xiv i del xv que, si tingué deutes amb Itàlia i amb França, s'avançà, en canvi, a Castella.

Rubió ens presenta una Catalunya medieval europea, desvinculada de Castella i en un estat d'evolució cultural superior al d'aquesta, o, si més no, diferent. Si alguna cosa va fer possible aquest fenomen va ser la vinculació de Catalunya a l'esperit clàssic, que li preservà una força interior i una personalitat particular.[23] Crec que no és excedir-se trobar que aquest plantejament té un cert parentiu amb algunes aspiracions molt difoses entre els intel·lectuals catalans del tombant de segle.[24] El passat seria, així, el

[22] Rubió s'adona perfectament en aquestes darreres pàgines del treball que la pedra de toc per a l'estudi de tot el fenomen és l'evolució de l'estil de la prosa catalana; vegeu infra apartat E. L'any 1947, quan Jordi Rubió i Balaguer amb el seu «Sobre els orígens de l'humanisme a Catalunya», BSS, XXIV, 88-98, programarà l'estudi científic d'aquesta qüestió, sentirà molt justament la necessitat de recordar aquesta previsió del seu pare.

[23] Vidal i Valenciano, en la resposta al discurs d'entrada de Rubió publicada a continuació d'aquest, es planteja el problema debatut en els termes de si Catalunya ha tingut o no ha tingut Renaixement. Tothom està d'acord que durant el segle xvi Catalunya no va poder participar en aquest moviment; per això el «descobriment» que Rubió fa d'un «classicisme» al xiv i al xv sembla a Vidal una aportació definitiva que aclareix les relacions entre Catalunya i Castella i que, a més, mostra que va ser possible gràcies a l'acció de «lo que en cierto modo podríamos llamar esencia y vida de nuestro suelo». Les riberes del Mediterrani que habitem els catalans ens han conservat l'esperit clàssic (pp. 108-20) i alhora la nostra identitat i la capacitat d'avançar-nos a Castella.

[24] Vegeu la definició de les aspiracions dels primers modernistes a J. L. Marfany, «Problemes del modernisme», dins Aspectes del modernisme (Barcelona: 1975), pp. 15-34, i també a Eduard Valentí, El primer modernismo literario catalán y sus fundamentos ideológicos (Barcelona: 1973).

mirall d'un present més somniat que no pas real: la nova Catalunya culta, moderna i europea, lliure del pes d'Espanya, «la morta», de què parlaran tant els modernistes.

Una edició de *Lo Somni* era el complement ideal de les teories de Rubió. La introducció que Guàrdia va escriure per a la seva és una barreja de pamflet contra certs aspectes de la Renaixença i d'estudi crític i erudit sobre Metge. La informació sobre el personatge és rudimentària encara, la visió crítica de la seva obra, ingènua (hom no reconeix alguns «plagis» de Metge). Però Guàrdia no era un medievalista sinó, entre moltes altres coses, un classicista d'escola francesa i valora Metge sobretot perquè li recorda els models de la seva formació; per això, com deia abans, el proposa als catalans que necessiten, per a forjar-se una cultura autònoma moderna, una bona dosi de clàssics.

C. A partir del 89 es multipliquen els estudis sobre la cultura catalana del XIV i del XV. La reivindicació d'un classicisme precoç a Catalunya, d'un vertader Renaixement anterior al XVI, en general, es manté. Els anys 1891 i 1907 surten a Barcelona noves edicions de *Lo Somni*;[25] Rubió i Lluch és la peça capital de la investigació d'aquests anys,[26] però també cal citar

---

[25] Bernat Metge, *Lo Sompni den — ab gran diligencia revisat i ordenat* (Barcelona: 1891); *Lo somni d'en Bernat Metge*, notes de R. Miquel i Planas (Barcelona: 1907); *Les obres d'en Bernat Metge*, edició de R. Miquel i Planas (Barcelona: 1910). L'any 1919 va sortir, a més, a la Col·lecció Minerva una reducció de *Lo Somni* a cura de L. Nicolau d'Olwer. Hom hi pot llegir un text modernitzat i podat d'ací d'allà d'alguns fragments.

[26] Les contribucions de Rubió i Lluch a la història de la Grècia medieval catalana són diverses i notables. Pel que fa al món de la cultura els seus punts de vista es poden trobar a «La lengua y la cultura catalanas en Grecia en el siglo XIV», *Homenaje a M. Menéndez Pelayo*, II (Madrid: 1898), pp. 95-120. Les figures de Joan I, «verdadero Augusto de la civilización catalana», i del gran mestre de Rodes, Juan Fernández de Heredia, primer traductor de Tucídides i Plutarc, en surten aureolades per llur afecció al món clàssic. En canvi, en una publicació del 1914, «La cultura catalana en el regnat de Pere III», *EUC*, VIII, 219-47, aquest rei és presentat com un monarca medieval fins i tot en les seves preocupacions culturals. L'interès pel món clàssic és només un dels molts ingredients del conjunt de les seves inclinacions no especialment rellevant. Els mèrits de Rubió i Lluch com a restaurador dels valors del passat històric català eren generalment reconeguts. Vegeu, per exemple, la dedicatòria que Ramon Miquel i Planas va estampar al primer volum de la seva Biblioteca Catalana

les aportacions de Lluís Nicolau d'Olwer i de Jaume Massó i Torrents.[27] Les pàgines dels *Estudis Universitaris Catalans* i més tard les publicacions de l'Institut van acollir diverses col·laboracions de petita i de gran envergadura.

En un altre ordre de coses els hispanistes Sanvisenti i Farinelli reuniren una quantitat sorprenent d'informació a propòsit del paper dels autors italians del Trecento i del Quattrocento en el desenvolupament de la literatura catalana del XIV i del XV.[28] La perspectiva d'aquests estudiosos tendia a fer dependre de les lectures que els nostres avantpassats feren de Dante, Petrarca i Boccaccio tota la novetat cultural del «Renaixement» que Rubió detectà en el seu dia.

L'any 1908 Rubió publicava el primer volum d'una de les seves obres més impressionants: els *Documents per a l'estudi de la cultura catalana migeval*[29] que contenen moltíssima informació a propòsit de l'ambient cultural dels nostres segles XIV i XV. En el pròleg el compilador parla amb admiració de la nova «joventut noucentista», consagrada a l'estudi, disposada a salvar l'herència del passat (p. XIV). I és que ja feia dos anys que s'exercia sobre el país l'acció de les *Gloses* d'Eugeni d'Ors. La «noucentització» de la

---

que conté les obres de Bernat Metge (volum imprès el 1910, però no posat en circulació fins al 1950): A. Rubió, «apologista de l'obra literària de B. M.».

[27] Lluís Nicolau d'Olwer va estudiar en dos articles dels *EUC* la influència dels italians en els nostres autors de finals del XIV («Apunts sobre l'influencia italiana en la prosa catalana», II (1908), 166-79) i les fonts del primer llibre de *Lo Somni* («Del classicisme a Catalunya: Notes al primer diálech de Bernat Metge», III (1909), 429-44). Nicolau empra sempre el terme «classicisme» per a designar la vena humanístico-renaixentista. Vegeu infra apartat *D*. En canvi, Jaume Massó i Torrents, a *Les lletres catalanes en el temps del rei Martí i en Ramon Çavall* (Barcelona: 1910), parla de la «forta empenta» que mostra la nostra literatura a començament del XV i es plany de la ràpida decadència que experimentarà a finals de segle sense esmentar la presència del Renaixement.

[28] B. Sanvisenti, *I primi influssi della letteratura italiana in Spagna* (Milà: 1902), i A. Farinelli, autor de diversos treballs aplegats a *Italia e Spagna*, 2 vols. (Torí: 1929). Els manlleus dels nostres als italians són tractats sovint amb indignació. Farinelli acusa Metge, per exemple, de «furto doloso e ingente» (I, 272). Vegeu també C. B. Bourland, «Boccaccio and the Decameron in Castilian and Catalan literature», *Revue Hispanique*, XII (1905), 1-232.

[29] Barcelona: 1908. El pròleg ocupa les pp. IX-XXXVI.

major part de la intel·lectualitat catalana em sembla que té molt de pes en la introducció — que no es farà esperar — de l'expressió «humanisme català» per a designar el «Renacimiento» de l'any 1889.

Podria adduir alguns textos de l'Ors en què es produeix la sacralització del terme humanisme,[30] però són prou coneguts. A mi se m'acut que la famosa dicotomia orsiana Modernisme/Noucentisme s'assembla molt i molt a la burckhardtiana entre Edat Mitjana/Renaixement. Els «segles de dolor»,[31] que per a Eugeni d'Ors defineixen l'Europa medieval no són gaire lluny del «neguit dolorós» i de l'«apetit de tenebra»,[32] que li serveixen per a qualificar el Modernisme català... Aleshores la identificació de Noucentisme i Renaixement no seria més que el resultat d'una petita fusió d'analogies. I com que el Renaixement comença amb l'Humanisme, heus ací el remei que definitivament ha de salvar la cultura catalana. D'altra banda Josep Murgades[33] ha definit molt exactament com, per un procés d'assimilació, amb el mot «classicisme» l'Ors passa de designar un període històric a designar un «sistema polític, filosòfic, ètic i estètic»;[34] al mot humanisme li passa una cosa semblant, s'omple de continguts diversos (des de la devoció als clàssics, a una filosofia de la vida, i a una magnificació de la ciència).[35] I aquests continguts no s'esvairan del tot quan el terme humanisme serà usat per a designar una època històrica, els nostres segles XIV-XV, tocats de l'«esperit del Renaixement».

[30] Són gloses que hom pot llegir a Eugeni d'Ors, *Obres completes. Glosari 1906-1910* (Barcelona: 1950): «descobriment» del Mediterrani, pp. 53 s.; exaltació de l'humanisme, pp. 186-9; com l'humanisme dóna vida al classicisme, pp. 455 s.; humanisme enfront de barbàrie romàntica, pp. 576 s.; definició d'humanisme, p. 1245.

[31] *Op. cit.*, 53.

[32] *Amiel a Vic, op. cit.*, 3.

[33] «Assaig de revisió del Noucentisme», *Els Marges*, Núm. 7 (1976), 35-53.

[34] *Ibid.*, 49.

[35] «L'humanisme vol dir la Ciència sentida com a Passió, i la Passió elevada a Ciència» (*Glosari 1906-1910*, p. 1245). «Tot Humanisme suposa dues coses: ple viure material i ple viure intel·lectual; o, ben concretament: Riquesa i Curiositat» (*ibid.*, 456). Vegeu també Eduard Valentí, *Els clàssics i la literatura catalana moderna, op. cit.*, i Carles Miralles, «Clàssics i no, entre modernistes i noucentistes», *Boletín del Instituto de Estudios Helénicos*, VI, 1 (1972), 125-35. Ambdós remarquen la indeterminació essencial d'un terme que té, en canvi, tant poder de convicció.

D. Entorn dels anys 20 qualla l'expressió «humanisme català» com a periodització històrica i això es produeix fonamentalment a través d'un nou gran treball de Rubió i Lluch, «Joan I humanista i el primer període de l'humanisme català»,[36] i de l'exaltació de l'escriptor i notari Bernat Metge a la categoria de filòleg humanista. Com és sabut, els qui van batejar la Fundació per a la traducció al català dels clàssics grecs i llatins, patrocinada per Francesc Cambó, van voler veure en el secretari de Joan I el nostre Guillaume Budé.[37]

L'estudi de Rubió i Lluch sobre la cultura del regnat de Joan I, en principi, és fet segons el mateix patró del que havia publicat a propòsit del del Cerimoniós.[38] Les diferències fonamentals són que aquell és concebut com un esquema i aquest com una monografia i que aquí l'escriptura desplega, una mica com a *El Renacimiento* del 1889, tota una retòrica al servei d'una interpretació ben concreta dels fets, la que es pot deduir del títol: que Joan I va ser un «humanista» i que va presidir una «etapa humanística» de la nostra cultura. El valor fonamental de l'article, vist des d'avui, és naturalment el rigor i la magnitud de la seva erudició. En efecte, la tesi de fer de Joan I i companyia una colla d'humanistes només se sosté dintre del clima mental de la Catalunya de la Mancomunitat i de la Dictadura. Rubió i Lluch sabia perfectament que, en sentit estricte, l'etiqueta era, com a mínim, ambigua, perquè de filologia clàssica pròpiament dita, de *studia humanitatis* a Catalunya no n'hi va haver abans de la segona meitat del xv, i encara. Però ja hem vist més amunt que els intel·lectuals del moment necessitaven l'humanisme, en el present i en el passat, i que, després del *Glosari*, «humanisme» valia tant pel que simbolitzava com pel que designava.

Llegint amb atenció el treball de Rubió trobem contínuament raonaments d'aquest tipus: «Només Alfons el Magnànim mereix *pròpiament* el títol d'humanista», però Joan I és el que més s'acosta al model abans d'ell, perquè era un «fervent enamorat del saber clàssic» (p. 2). Un altre exemple: el segon apartat de l'estudi es destina a glossar «l'aparició del classicisme hel·lènic» sota Joan I. Aquest rei, per tant, és tractat com «el primer dels so-

---

[36] Va veure la llum al volum X dels *EUC* (1917-1918), 1-117.

[37] La campanya per a les subscripcions a la col·lecció de traduccions que editava la Fundació Bernat Metge comença el 1922. L'assimilació Metge-Budé l'assenyala, per exemple, Albert Manent, *Carles Riba* (Barcelona: 1963), p. 37.

[38] Vegeu supra, nota 26.

birans hel·lenistes peninsulars» (p. 29) perquè va aprendre l'alfabet grec, perquè va manifestar en certa ocasió el desig de visitar Atenes (que li pertanyia), perquè va sol·licitar de Juan Fernández de Heredia, il·luminat bibliòfil i traductor de Plutarc i Tucídides, versions de clàssics grecs. Ara, el text també diu que el nostre hel·lenisme va ser «episòdic» (p. 24), que, en realitat, només es pot parlar d'un «humanisme llatí» que, procedent d'Itàlia, «brillà com una aubada enganyosa del Renaixement» (*ibid.*), que el rei Joan era un *dilettante* (*ibid.*), que Fernández de Heredia «tingué de la història un concepte barroer i completament migeval» (p. 34).

Vull ressaltar amb això que Rubió i Lluch no dóna mai gat per llebre: gairebé diria que la seva manera de manejar les abstraccions és massa transparent, neta, honesta.[39] Som als antípodes dels procediments del *Glosari*.

Els grans temes de l'«humanisme català», tanmateix, queden fixats en aquest treball de Rubió i Lluch, i giren entorn dels següents punts: la personalitat de Joan I, l'hel·lenisme absolutament únic a Europa del rei i de Fernández de Heredia, el classicisme llatí de la cort de Joan I, la presentació del rei com a humanista a través de *Lo Somni*, els traductors dels clàssics i dels italians del Trecento, les figures de Bernat Metge i d'Antoni Canals[40] i, finalment, la precocitat del moviment a Catalunya. L'article que comento va consagrar també una periodització de l'«humanisme català» que encara cueja (p. 101): 1378-1416 (de Joan I a Ferran I. Introducció del moviment, és a dir primera etapa), 1416-1458 (regnat d'Alfons el Magnà-

[39] Heus ací encara una mostra del que vull dir: «No es pot, doncs, parlar pròpiament d'humanisme en aquesta època, i molt menys en les lletres catalanes. Sobre això hem de recordar lo que diuen els autors de la *Histoire littéraire de la France* respecte de l'humanisme en la seva pàtria: "Quan més a fons s'estudia el pretès renaixement de Carles V *el Savi*, més hom se convenç de què és un bon xic exagerat parlar d'humanisme i d'humanistes a França en el xivèn segle". Però el rei Joan I, que nosaltres sapiguem, per ningú se li ha assignat fins al present treball, la important representació que té en el renaixement català, que en canvi no s'ha regatejat pas en el francès al savi Valois» (p. 101). Xènius *docet*: «els catalans, santament ambiciosos, ens hem posat al cap d'aconseguir, en la seva ruta vers l'humanisme, els navilis de Pantagruel, fill de Gargantua!» (*Glosari 1906-1910*, p. 189).

[40] Per al paper d'humanista que s'atribuïa a aquest lletraferit dominicà, apologista de la doctrina cristiana i traductor de Valeri Màxim, Sèneca i Petrarca, igualment com per a l'enquadrament sistemàtic de tots aquests temes, vegeu el volumet de Riquer, *L'humanisme català*, de què faig esment més avall a l'apartat *E*.

nim i cort de Nàpols. Contactes vius amb Itàlia, és a dir segona etapa) i 1458-1518 (de Joan II a Ferran II. Aparició de la impremta, moments de plenitud, ràpida decadència, és a dir, tercera etapa). En el pròleg del segon volum dels *Documents per a l'estudi de cultura catalana mig-eval*, aparegut l'any 1921, Rubió i Lluch insisteix en el fet «curiós i inèdit en la nostra cultura» que és «L'humanisme a Catalunya y'l rey Joan I» (p. xxxvi).

En el butlletí de presentació de la Fundació Bernat Metge, imprès a Barcelona el 1922, ens trobem amb unes maniobres conceptuals bastant semblants a les de Rubió i Lluch. A la pàgina 1 llegim que, tal com ens ha ensenyat aquest estudiós, Catalunya, tot i que no va participar del Renaixement del xvi, en va viure una anticipació des dels temps de Joan I, en què floreixen les versions dels clàssics; «la tasca, però, d'aquells abundosos traductors dels escriptors antics en els segles xiv i xv, no arribà generalment a tenir alt valor humanístic». No obstant això, a la pàgina 4, es justifica «l'advocació a Bernat Metge» perquè va ser l'«introductor, ja en el primer Renaixement, de l'humanisme en les nostres lletres».[41]

És força instructiu, arribats en aquest punt, de llegir l'article que Mario Casella va publicar l'any 1919 sobre *Lo Somni*[42] perquè es manté totalment al marge de la mitificació de l'«humanisme català» que practicaven els nostres intel·lectuals. És més, Casella se situa tan al marge, que, reprenent la tradició de Sanvisenti i de Farinelli, troba en el fons de la «trepida vigilia di quel rinascimento catalano» (p. 145) fonamentalment l'empremta dels italians i arriba a negar que *Lo Somni* tingui cap interès literari, ja que és bastit a partir de plagis; és una «impalcatura rizzata attorno a una casa rovinata» (p. 146).[43] Casella reconeix, tanmateix, que el motor de l'interès

[41] En aquest mateix text llegim també que Europa reviu una onada d'humanisme: «I en aquest nou classicisme, Catalunya hi participarà; en aquest nou Renaixement, Catalunya hi serà» (p. 4). Torna l'eco del *Glosari*: «I nosaltres, catalans, ... renunciarem, amb resignació covarda, a la nostra part en el botí de l'Humanisme?» (*op. cit.*, p. 189). Els primers anys de la dècada dels 20 és freqüent la retòrica d'enaltiment del classicisme i de l'humanisme i el desenvolupament de tota una ideologia humanístico-nacional. Vegeu, per exemple, els termes en què ho planteja Josep M. Junoy a «Els clàssics grecs i llatins nostrats», *Conferències de combat* (Barcelona: 1923).

[42] Mario Casella, «Il "Somni" d'en Bernat Metge e i primi influssi italiani sulla letteratura catalana», *Archivium Romanicum*, III (1919), 145-205.

[43] L'escassa valoració de l'estil de Metge que fa Casella sembla excessiva, ja que la crítica recent més aviat ha tendit a confirmar de ple posicions com la que exhi-

pels italians és un fervor classicista profundament arrelat a la Catalunya de la darreria del xiv (p. 187). Malgrat tot, el renaixement català, per a Casella, no va ser de cap manera filològic (p. 204), és a dir, marcat pels *studia humanitatis*; va consistir, més aviat, en una mena d'assimilació de l'esperit dels nous temps.

Els anys de la Dictadura van ser fèrtils en empreses editorials al servei de la cultura catalana. La que ens interessa de manera immediata és la col·lecció de textos medievals de Josep M. de Casacuberta, que sortí a partir de l'any 1925 a l'empara de l'editorial Barcino. Significativament fou batejada «Els Nostres Clàssics» i s'inaugurà amb una excel·lent edició del més «clàssic» dels nostres clàssics: *Lo Somni* de Bernat Metge. Nicolau d'Olwer va escriure un pròleg per a aquesta edició, en què presenta el valor renaixentista de l'obra de Bernat Metge amb arguments purament filològics extrets de l'observació de l'evolució interna de l'estil de l'autor (des del post-trobadoresc *Llibre de Fortuna i Prudència*, a la traducció de la *Griselidis* petrarquesca, i a *Lo Somni*, amalgama personal de fonts diverses). Metge és «el nostre primer renaixent» (p. 12), que com a escriptor i com a filòsof sabé que l'home és la mesura de totes les coses: «entre la fe i el materialisme s'alça l'humanisme i la raó dubtant d'ella mateixa» (p. 13). Heus ací, doncs, un matís ben concret del valor de l'«humanisme català», atribuïble, naturalment, només a Metge: no és pas una novetat, però el text de Nicolau delimita d'una manera bastant clara aquesta accepció d'humanisme destinada a tenir llarga vida en la bibliografia posterior. «Els Nostres Clàssics», com tothom sap, eren, en principi, una col·lecció de divulgació;[44] *Lo Somni*, Metge i el seu «humanisme» ja eren a l'abast de tots els catalans.[45]

---

beix el butlletí de presentació de la Fundació Bernat Metge: «la precisió i la elegància, la finor i la sobrietat, la ironia i el rigor, la inspiració clàssica i l'estructura àtica de l'estil de Bernat Metge» (p. 4).

[44] Vegeu, si calgués, Giuseppe E. Sansone, «I cento primi numeri di "Els Nostres Clàssics"», dins *Saggi Iberici* (Bari: 1974), pp. 293-302.

[45] Vegeu també la reducció que Nicolau va fer, esmentada a la nota 25. Un altre pròleg tan bonic o més que aquest és el que Carles Riba va escriure per al volum 7 de la col·lecció, que iniciava, el 1926, la malauradament inacabada publicació de la traducció catalana del *Decameron*, del 1429. Referint-se a l'«humanisme català», Riba hi sostenia que «el nostre passat literari es cloqué no en un crepuscle, sinó en una aurora; una aurora en la qual pagava a la literatura universal els seus deutes d'influències» (p. 15).

L'any 1927 el mateix Nicolau va publicar el seu *Resum de Literatura catalana*, que perfecciona un esbós anterior del 1917. És la primera visió de conjunt articulada de la nostra literatura en què existeix un període, que va del 1388 al 1500, que s'anomena «clàssic» en el doble sentit del terme; el del títol de la col·lecció de Casacuberta i el que en l'època venia a ser gairebé sinònim d'«humanístic».[46] I és que no em consta que Nicolau, que se sentia tan humanista, hagués usat mai l'expressió «humanisme català» per a designar els segles XIV i XV sense més matisos.[47]

Cada cop es fa més concret el sentit del terme «humanisme» en els escrits de finals dels anys 20 a frec de l'era republicana. Em sembla particularment representatiu, en aquest sentit, el volum d'homenatge a Joan Crexells publicat per la Fundació Bernat Metge l'any 1929.[48] Joan Estelrich hi va fer una evocació de l'il·lustre desaparegut, en què l'«humanisme» s'identificava amb la responsabilitat intel·lectual, amb l'autoeducació de

[46] Després el terme ha fet fortuna en la divulgació, especialment després del 1934. Tanmateix, M. García Silvestre, a la seva *Història sumària de la literatura catalana* (Barcelona: 1932), ja recull els punts de vista de Rubió i de Nicolau i tracta Joan I i els seus cortesans d'humanistes (p. 162).

[47] Crec que Nicolau concep l'humanisme d'una manera que, al meu entendre, representa un progrés en relació a l'orsisme. Per una banda hi ha més precisió en l'ús del terme, per una altra s'hi aprecia una mena de militància ètica ben definida. Vegeu supra la nota 27 i els apunts de l'autor que porten per títol «De l'humanisme», publicats a *Universitat Catalana* (febrer 1933), 1. Una de les coses que hi queden més clares és que «l'humanisme porta al liberalisme» perquè l'humanisme és indissociable de la llibertat de l'esperit i «sense la llibertat de l'esperit no hi ha altres llibertats». Crec que és en aquesta línia que se sentiren humanistes, posem per cas, Joan Crexells o Riba. Aquest darrer va publicar, tot just exiliat, l'any 1939, un treball que porta per títol «Sur l'action du classicisme dans la Renaissance catalane», *La tradition vivante. Message mensuel*, V (París: 1939), també a *Obres completes*, II (Barcelona: 1967), pp. 664-74; Riba hi maneja un concepte d'humanisme que comporta tota una filosofia del viure profundament sentida i, en aquelles circumstàncies tràgiques, políticament compromesa, que va de l'ètica, a l'estètica, a la vivència religiosa. Tot això es relaciona amb el que dic més avall a la nota 49.

[48] *Miscel·lània Crexells* (Barcelona: FBM, 1929). També és interessant el contingut del volum que demostra fins a quin punt Catalunya ja tenia bastants humanistes amb cara i ulls, és a dir intel·lectuals familiaritzats amb la filologia clàssica i la cultura universal, capaços de tractar amb solvència de Lorenzo Valla, d'Horaci, de Plató, d'Eurípides.

la voluntat, amb la llibertat mental. També són il·luminadors naturalment els escrits del mateix Crexells sobre el tema.[49]

E. En el volum que acabo d'esmentar hi ha tres col·laboracions que parlen de l'Edat Mitjana.[50] Una d'elles em sembla representativa d'una manera d'acarar-se a l'«humanisme català» tota nova i destinada a triomfar anys a venir: Jordi Rubió i Balaguer hi estudia la biblioteca de Pere Miquel Carbonell.[51]

Si hom passa llista a la nòmina d'autors catalans des del 1387 al 1518 (termes *a quo* i *ad quem*, com hem vist més amunt, de l'«humanisme català») i busca quins són els que, escrivint en català, van tractar temes característics de la literatura humanístico-renaixentista en un estil emparentat amb el de Ciceró, Sèneca o Ovidi i, a més, pretén que aquests escriptors siguin de primera qualitat, es queda amb dos noms: Metge i Corella. Corella, ja ho hem vist abans, no agradava;[52] Metge esdevé, doncs, l'únic gran valor. Prou que ho demostra tot el que hem exposat a propòsit de la seva mitificació. Ara bé, si el que interessa no és parlar de l'autor català més notable dels segles XIV i XV que manifesti influències dels clàssics i, per raons diverses, considerar-lo precipitadament un humanista, sinó estudiar la presència a casa nostra dels *studia humanitatis* en aquell període, aleshores Metge desapareix de l'horitzó, perquè no va fer mai de filòleg. Joan I deixa també

[49] Em refereixo a diversos articles sobre els clàssics en relació amb el món modern que hom pot llegir a Joan Crexells, *La història a l'inrevés* (Barcelona: 1968). Norbert Bilbeny, a *Joan Crexells i la filosofia del Nou-cents* (Barcelona: 1979), també fa referència al fenomen dels humanistes-humanistes de la fornada de la Dictadura-República que succeeixen els humanistes-diletants d'abans (o més ben dit, Eugeni d'Ors), p. 18. D'altra banda, tot això és prou sabut.

[50] Pere Bohigas, «Idees d'Eiximenis sobre els clàssics»; A. Rubió i Lluch, «Setge i conquesta de l'Acròpolis per N. Acciaiuoli», i Jordi Rubió i Balaguer, «Els autors clàssics en la biblioteca de Pere Miquel Carbonell». Cal assenyalar que tots els temes de la *Miscel·lània Crexells* són clàssics i el de Rubió i Lluch ho és més perquè l'escenari és Atenes i ja sabem que l'Atenes catalana forma part del mite classicisme-humanisme-renaixentisme del nostre segle XIV, altrament dit «humanisme català».

[51] El primer article de Jordi Rubió sobre aquest personatge és «Un bibliòfil català del segle XV: En Pere Miquel Carbonell», *RdC*, VI (1926), 106-42, ara reproduït a *La cultura catalana del Renaixement a la Decadència* (Barcelona: 1964), pp. 79-89.

[52] Veg. més avall el text 6.

de ser l'aglutinador del moviment, perquè va ser només, com ja havia escrit Rubió i Lluch, un diletant, així com Heredia fou un home genial, però un home genial totalment medieval...

Si el que interessa és estudiar els *professionals de la filologia* dels segles XIV i XV, resulta que no podem començar més enrera del regnat del Magnànim, perquè, senzillament, no n'hi hagué cap abans. Els humanistes (en el sentit de filòlegs o aspirants a filòleg) catalans es van expressar només en llatí (com els seus col·legues italians, d'altra banda, i van ser bibliòfils, erudits, autors d'epistolaris retòrics i de tractats històrics en llatí, es van preocupar per la renovació de la gramàtica i de la retòrica llatines...). Tot això, i molt més, és el que ens ensenyà Jordi Rubió i Balaguer, una de les ments més clares que ha tingut la crítica històrica catalana.

Ara bé, si d'aquí es deduís que només Carbonell, Jeroni Pau, el Cardenal Margarit i companyia mereixen el nom d'humanistes, ja no hi hauria confusió possible. Però no és així perquè, com sabem, «humanista» també vol dir, per exemple, algú «que considera l'home la mesura de tot», i mil coses més. Sempre hi haurà mitjans per a justificar, per tant, que Metge fou un «humanista»; particularment en el sentit en què ho digué Nicolau l'any 25.[53] Aquí el drama més gros, al meu entendre, és que els «humanistes» pròpiament dits, els filòlegs, no van ser ni exemplars com a patriotes (vegeu Margarit), ni massa sòlids intel·lectualment i moralment (vegeu Carbonell). L'estudi dels «humanistes» catalans, en l'accepció que acabo d'exposar i que és la que generalment accepta la crítica internacional, deixa de ser una dedicació lluminosa i enardida a la manera orsiana per transformar-se en una feina d'erudició fatigosa i desagraïda. En aquest sentit, el treball que Jordi Rubió ha anat acumulant a propòsit del problema és més i més admirable.[54]

[53] Que consti, però, que, pel que fa a aquest autor en concret, és més que justificable l'advocació del terme que es debat, ja que són molts els punts de coincidència entre el personatge i el que serà l'humanisme del XV i del XVI. *Lo Somni*, en efecte, és un text que en història de la literatura s'explica en part en funció de les formes que s'imposaran més endavant: tant pel que fa al pensament com pel que fa a l'estil. Joan Fuster, amb la seva particular acuïtat per a aquesta mena de problemes, ja fa anys que va trobar una etiqueta prou definidora per a Metge: «paleohumanista». Vegeu «Qüestió d'exàmens» dins *Heretgies, revoltes i sermons* (Barcelona: 1968), p. 17.

[54] Alguns títols fonamentals són: «Sobre els orígens de l'humanisme a Catalu-

L'any 1934, quan el que acabo d'exposar ja estava formulat, almenys en l'interior d'alguns caps, es va donar a conèixer un nou investigador de l'«humanisme català» que anys a venir havia d'escriure la monografia definitiva sobre Bernat Metge: Martí de Riquer, aleshores joveníssim.[55] I es va donar a conèixer amb dos treballs d'un valor molt diferent. El seu volumet de divulgació *L'Humanisme català* ve a ser la consagració definitiva (perquè va aparèixer en una col·lecció tan a l'abast com la «Popular Barcino») de la visió de l'«humanisme català» que es dedueix dels dos grans treballs de Rubió i Lluch, «El Renacimiento» i «Joan I humanista», degudament reestructurada, matisada i ampliada d'aportacions erudites. Les novetats principals són de caràcter interpretatiu: l'«humanisme català» no fou una «albada», sinó un «capvespre»; l'«humanisme» va ser en part culpable de la degeneració de la prosa catalana perquè va posar de moda un preciosisme desfermat i l'ús del llatí; Espanya va ser l'hereva, al segle XVI, de la primerenca eclosió representada per Metge i la seva època. El més notable és que la presència d'aquestes tres tesis «deletèries», pel que fa a la mitificació del concepte d'«humanisme català», no va impedir que el volumet de Riquer consagrés la denominació de cara al públic amb gairebé tota la seva força ideològica.

Les tres tesis esmentades més amunt són el cavall de batalla de l'altre treball de Riquer aparegut l'any 34, l'article «Humanisme i decadència en les lletres catalanes».[56] En la meva opinió el valor fonamental d'aquest paper, a part que ens permet deduir l'*impasse* a què conduïa el concepte his-

nya», *BSS*, XXIV (1947), 8-98; «De l'Edat Mitjana al Renaixement» (Barcelona: 1948); «Influència de la sintaxi llatina en la Cancelleria catalana del segle XV», *Boletín de Dialectología Española*, XXXIII (1954-55), 357-64; «Sobre Sal·lusti a la Cancelleria catalana els segles XIV-XV», *Spanische Forschungen der Görresgesellschaft*, XXI (1963), 233-49; els diversos articles sobre el clima cultural del XV i del XVI reunits a *La cultura catalana del Renaixement a la Decadència* (Barcelona: 1964); el recull de documents fet en col·laboració amb Josep M. Madurell, *Documentos para la historia de la imprenta y librería en Barcelona (1474-1553)* (Barcelona: 1955).

55 En realitat els seus primers articles sobre el tema són del 1933: «Notes sobre Bernat Metge», *EUC*, XVIII (1933), 105-25; «Influències del *Secretum* de Petrarca sobre Bernat Metge», *Criterion*, IX (1933), 234-48, i «Les lettres de Bernat Metge à Madona Isabel de Guimerà», *Romania*, LX (1934), 94-6.

56 *RdC*, XIV (juny-agost 1934), 249-64.

toriogràfic d'«humanisme català» tal com el definia Riquer, és el d'haver provocat la resposta de Jordi Rubió «Humanisme i decadència?».[57] La contestació d'aquest és, en efecte, tan respectuosa i ponderada com profunda i definitiva. Rubió analitza punt per punt l'article de Riquer i bàsicament defineix la distinció entre escriptors pre-renaixentistes del xiv, tipus Bernat Metge, i «humanistes» d'expressió llatina, que no s'han de buscar abans de mitjan xv (p. 474). Desfà l'equívoc de la relació causa-efecte entre humanisme i decadència (l'humanisme, que s'expressava en llatí, feia el seu camí al marge de la crisi de la prosa catalana afectada per complexos fenòmens històrico-polítics) (p. 483). Puntualitza el sentit del traspàs de l'herència catalana a Espanya, desmuntant un cert aire de fatalitat històrica que tenia la formulació de Riquer (pp. 480 s.). De fet en aquest article hi ha el que és essencial del pensament de Jordi Rubió a propòsit del fenomen «humanisme català», tal com després s'imposarà a la postguerra.

Abans del trencament del 39, però, hi ha encara una darrera aportació significativa per al nostre tema: el treball de Marçal Olivar, «Notes entorn de la influència de l'*Ars dictandi* sobre la prosa catalana de Cancelleria de finals del segle xiv».[58] L'autor de l'article hi estudia el canvi que experimenten les proses catalana i llatina de la Cancelleria les darreres dècades del xiv. El canvi és degut a la necessitat dels professionals de la Cancelleria d'adaptar la seva prosa al model ciceronià segons els patrons de les *Artes dictaminis*. El fenomen comença essent propi de llur prosa llatina i acaba passant a la catalana. Mitjançant els models elegits s'introdueixen capil·larment certs ferments literaris i de pensament que resulten renovadors i influents. Olivar assenyala, doncs, i estudia un dels principals àmbits d'activitat cultural del xiv: la Cancelleria reial. L'article conté la correspondència privada d'un grup d'oficials de la Cancelleria de l'època de Joan I i de Martí I, conservada en un manuscrit de la Colombina: unes elegants epístoles llatines particulars d'uns quants intel·lectuals catalans de finals del xiv que valoren per damunt de tot el bon estil.

La redacció d'epístoles retòriques llatines és un exercici que cal tenir en compte en l'estudi de l'evolució de la prosa d'art a la Corona d'Aragó tardomedieval, però que no se situa en el filó dels *studia humanitatis* i que revela, per tant, la complexitat de l'entramat cultural del classicisme dels

---

[57] *RdC*, XV (agost-setembre 1935), 469-83.
[58] *Homenatge a Antoni Rubió i Lluch*, III (Barcelona: 1936), pp. 631-53.

intel·lectuals nostrats del xiv i del xv. No hi ha dubte, crec, que als anys trenta es produeix un canvi de rumb en la manera d'enfocar l'afer «humanisme català»: es tracta de tornar als fets i de no deixar-se enlluernar pels termes. Almenys pel que fa al món dels historiadors de la literatura, la discussió queda segellada. No hi hagué un període humanístic presidit per Joan I i Metge. En canvi, hi hagué humanistes d'expressió llatina i manlleus de la cultura humanística, que es poden anar detectant des de les darreres dècades del xiv a les darreres del xvii.

III. Epíleg

Crec que és oportú, per a completar el desenvolupament del problema, d'afegir algunes notes referents a com ha estat tractat l'afer «humanisme català» després de la Guerra Civil. L'obra de Jordi Rubió i Balaguer i de la seva escola[59] ha estat fonamental en el sentit que, sense sortir de la tradició de la nostra investigació, ha remodelat profundament el coneixement del període que ens interessa. Per una banda s'ha desenvolupat extraordinàriament l'estudi de l'evolució de la prosa catalana a partir del treball de Jordi Rubió «Sobre els orígens de l'humanisme a Catalunya»[60] (1947). La descripció de la diversitat de l'ambient cultural català del xiv i del xv ha estat un altre ampli camp de recerca des del llibre de Rubió De l'Edat Mitjana al Renaixement[61] (1948). Finalment Rubió ha establert una periodització (1949-53) de l'època que ens interessa que, de fet,

---

[59] Vegeu els títols citats a la nota 54. Altres contribucions fonamentals són les següents: Joan Ruiz Calonja, «Alfonso el Magnánimo y la traducción de la «Ilíada» por Lorenzo Valla», BRABLB, XXIII (1950), 105-15; «Valor literario de los preámbulos de la Cancillería real catalano-aragonesa en el siglo xv, ibid., XXVI (1954-56), 205-34; «Anotacions sobre l'humanisme», ER, XI (1962-67), 1-10. Ramon Gubern, Epistolari de Pere III (Barcelona: 1955. ENC, 78). Josep M. Morató, Traducció de les «Paradoxa» de Ciceró per Ferran Valentí (Barcelona: 1959).

[60] És fonamental el treball de J. Rubió, «Influència de la sintaxi..., op. cit. Ramon Gubern, al seu Epistolari de Pere III, op. cit., a la p. 22, nota 45, s'arrisca a considerar l'any 1381 com a línia divisòria de l'entrada a Catalunya de la prosa de tipus humanístic. Martí de Riquer dóna per bona aquesta apreciació encara el 1978 («Evolución estilística de la prosa catalana», Miscellanea Barcinonensia, XLIX, 7-19).

[61] Op. cit., a la nota 54.

torna a posar en circulació el terme originari del 1889: un Pre-renaixement en temps de Joan I, un Renaixement al xv.[62]

Al costat del de Rubió hi ha altres noms il·lustres com, sobretot, el de Martí de Riquer, que ha estudiat la figura històrica i literària de Metge (1959)[63] i ha escrit una *Història de la literatura catalana* (1964)[64] que, presidida per un extrem esperit d'eficàcia, prescindeix, fins on és possible, de les periodEitzacions i dels problemes que en deriven, per presentar la matèria agrupada en àrees temàtiques.

L'any 1967 se celebrà a València el VIIIè Congrés d'Història de la Corona d'Aragó. Riquer i Rubió hi llegiren sengles comunicacions titulades respectivament «Medievalismo y humanismo en la Corona de Aragón a fines del siglo xiv» i «Humanisme i Renaixement».[65] En realitat els dos treballs es poden prendre com a descripcions d'un estat de la qüestió, en termes generals, encara en vigor. L'humanisme del xiv és un ingredient que cal destriar en àmbits tals com la perfecció de l'estil de determinats funcionaris de la Cancelleria, la manera tota deseixida d'entendre la fe, la moral i la política, representada per la «camarilla» de Joan I, la consciència literària d'alguns respecte a llur petrarquisme i molt particularment la maduresa literària i les ironies de *Lo Somni*. Malgrat tot, les actituds medievals són ben vives i arrelades i sobreviuran fins entrat el xvi i més enllà i tot.

L'humanisme filològic llatí comença a la cort napolitana del Magnànim i a finals del xv dóna alguns noms més o menys insignes (Margarit, Carbonell, Jeroni Pau): la introducció de la impremta canvia les coses. El xvi es caracteritza per oferir un humanisme completament nou i importat que se centra entorn dels textos gramaticals de Nebrija.[65a] Un vessant for-

---

[62] «Historia de la literatura catalana» dins *Historia general de las literaturas hispánicas*, I (Barcelona: 1949), pp. 645-756, i III (Barcelona: 1953), pp. 727-930.

[63] *Obras de Bernat Metge* (Barcelona: 1959). Llibre important per l'aportació documental, que permet que hom es faci una idea bastant concreta de la vida de l'autor i que sobretot ajuda a entendre el contingut polític de *Lo Somni*. És notable també l'estudi de l'estil de la prosa de Metge.

[64] El conegut llibre de consulta obligada (Esplugues de Llobregat: 1964).

[65] El treball de Riquer és publicat al primer tom del volum segon de les actes del congrés (València: 1969), pp. 221-35. El de Rubió, al segon tom del tercer volum (València: 1973, pp. 9-36).

[65a] Vegeu també Francisco Rico, *Nebrija frente a los bárbaros* (Salamanca: 1978), pp. 105-12.

ça notable d'aquest nou clima humanístic és la renovació dels corrents espirituals, que van de la «devotio moderna» a l'erasmisme.[66]

En els últims anys han aparegut algunes monografies de gran interès que ens permeten de descobrir nous caires de la cultura de l'època en què va ser viu l'humanisme. Són la de Jordi Carbonell sobre Corella,[67] la de R. B. Tate sobre Margarit,[68] la de Josep Perarnau sobre Malla.[69] En tots aquests treballs el terme «humanisme» sol tenir una funció adjectiva que determina certs productes culturals vinculats al món dels «studia humanitatis» i idees annexes.

Em sembla, doncs, poder afirmar que en l'àmbit de la història de la literatura catalana hi ha una tendència generalitzada a esquivar el valor

[66] Hi ha diverses aportacions de Rubió recollides a *La cultura catalana del Renaixement a la Decadència, op. cit.* Remetem també al treball fonamental de Miquel Batllori, «Humanisme i erasmisme a Barcelona (1524-26)», dins *Vuit segles de cultura catalana a Europa* (Barcelona: 1958), pp. 85-100. Cal no oblidar, tanmateix, els assaigs de Joan Fuster sobre el tema, recollits a *Heretgies, revoltes i sermons* (ja citat), que, ultra aclarir moltes coses relacionades amb l'erasmisme valencià, proporcionen una visió nítida i intel·ligent de la nostra història cultural del xvi. Quan Fuster parla d'«humanisme català» es refereix als erasmistes i paraerasmistes del xvi que es caracteritzen per ser tan «gramàtics» com «heretges», ja que llur obsessió filològica per la crítica els duia a subvertir les bases de la religiositat conventual (*op. cit.*, pp. 11-28). Recordem també com Fuster té molt de punt a subratllar l'abisme total que separa el «paleohumanisme» de Metge (vegeu supra nota 53) de l'humanisme erasmista del xvi (*op. cit.*, p. 18).

[67] En realitat és un breu però notable pròleg que precedeix l'edició de Joan Roís de Corella, *Obres completes: I. Obra profana* (València: 1973). Carbonell valora històricament la figura de l'autor i acaba definitivament amb el mite del Corella decadent.

[68] Robert Brian Tate, *Joan Margarit i Pau, cardenal i bisbe de Girona* (Barcelona: 1976). Versió catalana corregida i augmentada de la tesi de l'autor, molt important per a la valoració plenària de l'obra historiogràfica de Margarit i sobretot per a entendre el seu concepte d'Espanya, formulat amb materials genuïnament humanístics al servei de la política de Joan II i de Ferran el Catòlic, una política que no deixava de ser catalana.

[69] Felip de Malla, *Correspondència política*, a cura de Josep Perarnau (Barcelona: 1978). És el volum 114 d'ENC, que conté només l'estudi de la vida i de l'obra de l'autor. El punt més estudiat és la ideologia política de Malla, a mig camí entre el tomisme medieval i el cesarisme dels nous temps.

substantiu que Rubió i Lluch atribuí al terme «humanisme català»; la qual cosa no vol dir, naturalment, que hom no continuï utilitzant l'esmentada etiqueta historiogràfica en el sentit original. El cas més il·lustre és el dels nombrosos textos del pare Batllori que afronten la nostra qüestió.[70] Qui signa ha pogut experimentar com dintre de la història literària catalana la multivocitat de certes etiquetes crea lamentables confusions, especialment quan aquestes etiquetes porten darrera tota una història;[71] és per això que el terme historiogràfic de què s'ha tractat no li acaba d'inspirar cap absoluta confiança.

IV. CONCLUSIONS

Tot el que hem dit es pot reduir al següent esquema:

A. Abans del 1889 pràcticament només es pot parlar d'intuïcions precursores, datables, això sí, des del mateix segle xv (Valentí, Margarit). De Torres Amat i Milà i Fontanals hom pot espigolar en la bibliografia erudita algunes referències soltes, i sovint contradictòries, als canvis culturals que s'inicien a finals del xiv.

[70] Els treballs d'aquest estudiós sobre la qüestió que ens ocupa han estat recollits posteriorment a la redacció del present article a: *A través de la història i la cultura* (Montserrat: 1979); *Orientacions i recerques*, (Barcelona: 1983) i *Humanismo y Renacimiento: Estudios hispanoeuropeos* (Barcelona: 1987).

[71] L'article de Ruiz Calonja, «Anotacions sobre l'humanisme», *op. cit.*, pot servir d'exemple de les moltes distincions que cal introduir en parlar de l'humanisme als segles xiv i xv. Em sembla que, per exemple, pot ser origen de malentesos incloure un teòleg com Ramon Sibiuda a l'«humanisme català» (al costat de Metge, Joan I, Canals i dels funcionaris lletraferits de la Cancelleria reial) com s'apunta a la p. 296 de «La cultura catalano-aragonesa durant la dinastia de Barcelona (1162-1910): Corrents actuals de la investigació», *VII Congreso de historia de la Corona de Aragón, I, Ponencias* (Barcelona: 1962), pp. 329-407. Llevat de certes afirmacions presents en *Lo Somni* a propòsit del valor de l'individu humà i d'una certa pruïja apologètica de Canals, els punts de contacte entre el món de la Cancelleria i aquell notable teòleg se m'escapen, especialment ara que Jaume de Puig i Oliver ha publicat el seu «Escriptura i actitud humanística en el *Liber Creaturarum* de Ramon Sibiuda († 1434)», *Revista Catalana de Teologia*, III, I (1978), 127-51.

B. L'any 1889 Antoni Rubió i Lluch publica *El Renacimiento clásico en la literatura catalana* i Josep Miquel Guàrdia llança la primera edició de *Lo Somni* de Bernat Metge. Es tracta del «descobriment» de l'entrada precoç de Catalunya al món del Renaixement i de la divulgació del text més representatiu d'aquest Renaixement primerenc. Cal remarcar que es tracta de dues iniciatives independents a la vigília de l'inici de l'època modernista.

C. Alguns erudits forasters (Sanvisenti, Farinelli) i del país (Rubió i Lluch, Nicolau d'Olwer) contribueixen a ampliar els coneixements sobre els segles xiv i xv. Es produeix la penetració capil·lar de les consignes noucentistes que exalten la funció històrica de l'humanisme i la necessitat que els catalans s'assimilin a l'humanisme universal.

D. Rubió i Lluch publica *Joan I humanista i el primer període de l'humanisme català* (1917-19) i la Fundació Bernat Metge (1922) consagra la imatge de l'autor de *Lo Somni*, com a humanista en vincular-lo a una empresa tan ambiciosa per a l'anostrament de la tradició clàssica antiga.

E. El llibret de divulgació de Martí de Riquer *L'Humanisme català* (1934) contribueix a fixar aquesta expressió per a designar una etapa de la nostra cultura. Malgrat tot, l'autor posa en circulació certes idees noves a propòsit d'aquest punt que provoquen una polèmica amb Jordi Rubió i Balaguer. Les opinions que expressa aquest en la discussió i un article de Marçal Olivar sobre l'estil dels secretaris de la Cancelleria a la darreria del xiv (1936) representen una renovació total de la manera d'enfocar la qüestió de l'humanisme i del renaixement en el passat català. Es tracta, en síntesi, de donar més valor als fets que no pas al muntatge historiogràfic que hom pot bastir a partir d'aquests fets.

Ja abans de la Guerra Civil, doncs, queda closa la discussió sobre l'«humanisme català». Això no vol dir que l'expressió no hagi sobreviscut, però el seu valor és contrapesat per les noves aportacions de la crítica que, a partir de finals dels anys quaranta, de fet ha anat desenrotllant els punts de partida exposats per Jordi Rubió els anys trenta.

[1979]

SOBRE L'EDAT MITJANA, EL RENAIXEMENT, L'HUMANISME I LA FASCINACIÓ IDEOLÒGICA DE LES ETIQUETES HISTORIOGRÀFIQUES

Tractaré d'explicar les tribulacions de qui ensenya història de la literatura a una universitat del país i, dintre de les seves limitacions i quan les circumstàncies li ho permeten, procura de trobar la manera de vendre als seus estudiants d'una manera passablement posada al dia tot aquest embull de la transició de l'Edat Mitjana al Renaixement. Cal aclarir que això s'esdevé en l'àmbit català, on la tradició de la docència de la cultura pròpia no ha pogut acabar d'arrelar mai i on el pas famós de l'Edat Mitjana al Renaixement representa exactament el contrari del que fou per a Itàlia, país per al qual Jacob Burckhardt va fabricar fa més d'un segle aquests dos conceptes entesos com a dialècticament antitètics. No sé si això és suficient per a fer-se càrrec de la magnitud del problema. Em temo que no.

Avui que les humanitats estan en crisi, ser professor d'història de la literatura vol dir pertànyer a una de les branques obsoletes, avorrides i, de fet, prescindibles del saber. Un professor de literatura no és pròpiament ni un historiador, ni un crític, ni un lingüista. De fet és totes tres coses, però no està instal·lat còmodament en cap. ¿Què s'ha fet de la filologia, que en altres temps l'hauria pogut definir? Sembla que, a grans trets, ha passat de contraure noces amb Mercuri a encapçalar impresos de matrícula a les nostres universitats, reduïda ja a un pur *flatus vocis* d'aire administratiu i esotèric. La filologia, tan estimada pels humanistes, de Petrarca a Erasme, de reina dels sabers a cendrosa que només se salva si s'informatitza; heus ací una història dels nostres temps. Doncs bé, en aquest clima de desencís, no li demaneu, per favor, al sofert professional de l'ensenyament de la història literària passió filològica en el sentit humanístic del terme. Deixeu-li desembolicar la troca amb un cert distanciament i una certa prevenció davant de les magnificacions massa aparatoses, i sobretot massa unívoques, dels conceptes clau d'una historiografia cultural que, en el món on li toca de viure, fa aigua per tots cantons.

I heus ací que un bon dia em vaig trobar davant d'una cosa que es deia «humanisme català» i que s'havia esdevingut entre més o menys 1380 i 1500. Un fenomen precoç, que dóna una figura rutiŀlant, dita Bernat Metge, i que després s'esfuma sense deixar rastre. Tanmateix l'«humanisme català» de Joan I, Metge, Canals i l'aragonès Heredia, en la bibliografia que jo manejava tenia una existència diguem-ne substancial. No hi havia manera que em sortissin els comptes. Si l'Humanisme és la preparació del gran canvi cultural del Renaixement, ¿com pot ser que l'«humanisme català» s'esfumi? ¿Quina mena tan estranya d'«humanisme» és? D'altra banda, ¿com pot ser que després de la desaparició del precoç i sorprenent moviment sobrevingui la Decadència, que és el que deia que sobrevenia la bibliografia a què aŀludia més amunt? Vénen ganes de preguntar-se si l'una cosa no s'ha de posar en relació de causalitat amb l'altra, vull dir l'«humanisme català» amb la «decadència catalana». Tots sabem que algú ho va fer i també sabem que la resposta a la proposta d'establir aquesta relació de causalitat (la discussió és una de les glòries passades de la primitiva Revista de Catalunya l'any 1935)[1] va significar una de les aclarides d'idees més sanes que ens hagi proporcionat mai l'admirat Jordi Rubió i Balaguer.

No senyor, el primerenc «humanisme català» no es pot prendre com a causa de la Decadència, entre altres coses perquè és un «humanisme» només romanç i hem de tenir en compte el vessant llatí de l'humanisme del xv i del xvi, si de debò el volem posar en relació amb el canvi de formes de pensament i de vida que anomenem Renaixement. Emergeix així una altra manera — l'única que em sento capaç d'homologar dintre de la història cultural d'Occident — d'entendre l'humanisme català: a través del cardenal Margarit, de Jeroni Pau, de secretaris i de gent de ploma, que no figuren al quadre d'honor de les lletres catalanes, però que potser ens permetran algun dia d'explicar si efectivament la introducció del Nebrija va ser o no va ser una revolució i per què. Sobretot, és clar, si els exhumem i els estudiem. Però això és competència dels professionals del gremi veí, els de clàssiques, hereus dels antics experts en els *studia humanitatis*, tan escoltats i reverenciats als seus dies d'esplendor. Pregunteu-ho a la Mariàngela Vilallonga, que va publicar el 1987 l'edició crítica de les obres llatines completes de Jeroni Pau: el primer *humanista català* del segle xv que modernament circula en lletres de motlle.[2]

---

[1] Vegeu el text anterior, apartat II. *E*
[2] Vegeu el text següent.

¿Què n'hem de fer, doncs, de l'«humanisme» romanç primerenc i esmolat com una punta de llança, que projecta Catalunya cap a l'alta cultura classicitzant abans que Castella es deixés penetrar de les càlides brises del Mediterrani, portadores, segons Rubió i Lluch, de la llavor del Renaixement? Els italians tenen una paraula molt expressiva i intraduïble: *ridimensionare*. Cal reduir-lo a la seva justa mesura, aquell pomell de fenòmens culturals que Rubió i Lluch en plena eufòria noucentista batejà d'«humanisme català».

¿Que mentrestant ha estat mitificat, petrificat en marmòria eternitat de glòria pàtria? Doncs, això no ens ha de fer perdre el sentit de les justes dimensions de les coses. No proposaré pas que canvieu de nom la Bernat Metge, perquè ara jo cregui que l'heroi epònim més que un humanista era el més murri i el més genial dels homes de l'Edat Mitjana del país. Vittore Branca va dur a terme amb èxit a Itàlia l'operació paral·lela de descobrir, fa ja trenta anys, un Boccaccio medieval. No em consta que hagi trontollat cap fonament, i això que el mestre De Sanctis havia designat oficialment Boccaccio com l'alba dels temps moderns.

Medieval o humanista, Metge roman singular i inigualat pels castellans. No tinc cap necessitat de tirar pedres al terrat propi. Tampoc no tinc cap obligació de fer curses amb els castellans a veure qui la diu més grossa. Tan sols voldria, si m'és llegut, explicar el mateix pomell de fenòmens estudiats per Rubió i Lluch amb paraules meves i, sobretot, sense determinats pòsits de periodització històrica de caire idealista que avui dia resulten francament depassats; tronats fins i tot.

Amb aquests precedents em sembla que ja puc començar a expressar el contingut real de les meves tribulacions abans al·ludides. Potser només convé encara posar de manifest una cosa, la paradoxa que subsisteix a l'interior del concepte d'«humanisme català», iniciat al segle XIV i esfumat cap a finals del XV.

A l'origen dels conceptes historiogràfics de Renaixement i Edat Mitjana hi ha la creença que el primer va representar efectivament un començament absolut. El començament absolut de l'home modern, sorgit de les tenebres de crueltat, barbàrie i ignorància de l'Edat Mitjana. En la dimensió de pensament pròpia del subproducte hegelià que hi ha al darrera de la divisió entre Renaixement i Edat Mitjana, els dos conceptes són l'un el revers de l'altre. L'Edat Mitjana nega i ofega els valors humans sota el pes d'un teocentrisme estrangulador; el Renaixement allibera l'home, que es redescobreix ell mateix, com l'au fènix renascuda de les cendres, i es llança a la joiosa conquesta d'un món que se li ofereix fet a la seva mesura.

El Quattrocento italià és la materialització del retorn creador a l'antigor. La gran ruptura del Renaixement descansa sobre l'Humanisme; l'Humanisme és el vessant erudit i filosòfic del Renaixement, que prepara el terreny per a l'eclosió de les arts i dels grans descobriments científics i tècnics propis de l'Edat Moderna. En la cultura italiana, per a la qual, com he dit, va ser ideat el plantejament que acabo d'evocar, l'Humanisme és efectivament el redescobriment d'antics còdexs amb obres clàssiques perdudes, l'estudi sistemàtic del grec, el rellançament de l'opus platònic, l'afinament del coneixement de la gramàtica llatina, la imitació dels antics poetes i pensadors grecs i romans.

El Renaixement és el fruit assaonat de tot això: Leonardo, Miquel Àngel, Ariosto i els que calgui. L'Humanisme és, per als italians que raonen com acabo de descriure, el retrobament de l'esperit nacional i la projecció cap a la màxima afirmació històrica dels temps moderns: el Renaixement artístic. Itàlia al Renaixement torna a ser una nova Roma civilitzadora d'una Europa bàrbara.

Suposo que, un cop rememorat tot això, són clares les raons que em fan veure com una paradoxa la proposta historiogràfica d'un «humanisme català» que no prepara ni empeny cap eclosió nacional, sinó que més aviat, sospitosament, es produeix abans d'una Decadència. Un «humanisme català» sense caçadors de manuscrits, ni neoplatònics, ni editors de textos, ni estudiosos sistemàtics del grec, ni imitadors dels clàssics pròpiament dits. Un «humanisme català» fet de traductors, de *dilettanti* (la paraula és de Rubió i Lluch) i d'un sol escriptor excepcional. Un «humanisme català», en fi, la major virtut del qual és la d'haver existit abans que a Castella existís res de semblant. Repeteixo: per a mi, que jugo ara volgudament al joc de contemplar les coses en perspectiva italiana, un «humanisme» d'aquestes característiques és, com a mínim, una paradoxa.

I em pregunto: ¿voleu dir que val la pena d'apostar a hores d'ara a favor d'aquest «humanisme català», que ja rancieja i que se'ns ofereix tan paradoxal i tan esmunyedís? ¿No seria més pràctic i operatiu empescar-se un altre sistema de periodització històrica per a emmarcar degudament la vitalitat cultural i literària que s'inicia als temps del Cerimoniós i dels seus dos fills? La pregunta fa temps que em balla pel cap i no m'he estat pas de plantejar-la en públic. Com es pot veure al text que precedeix, ja fa temps que vaig exposar com, al meu entendre, s'havia produït el procés ideològic de construcció del concepte historiogràfic d'«humanisme català». Les conclusions eren evidents: l'«humanisme català» és una maniobra nou-centista, un típic producte de la necessitat de retrobar una història nacional de Catalunya que estigui d'acord amb un determinat ideal i, sobretot, amb un determinat programa polític i cívic. Eugeni d'Ors predicava Cultura i Humanisme; els erudits col·laboraven a la tasca retrobant aquests valors a les profunditats de la història, com les àmfores gregues que Costa i Llobera diu que la terra mallorquina conserva, testimoni fervent de la seva fidelitat al món clàssic. Des de l'òptica de l'any 1986, però, si se'm permet, hi ha força coses a objectar a l'ideari noucentista. Com a estudiosa de la literatura catalana del XIV i del XV, sense anar més lluny, el programa noucentista em ve curt. Per exemple: ¿què n'hem de fer, de València? ¿És Catalunya-ciutat, València? Caricatures a part, si el professor d'història de la literatura prescindeix de València, tocant a la matèria del segle XV, es queda sense feina. Sembla, doncs, més econòmic plantejar-se les coses d'una manera que resulti francament beneficiosa.

Parlava més amunt de desconcert i de prevenció davant de la discussió dels termes Humanisme i Renaixement a les lletres catalanes. La proposta de jubilar honorablement el concepte d'«humanisme català», segons com, és interpretada a la desesperada: per a alguns s'ensorra l'assignatura com un castell de naips per manca d'armadura ideològica; per a altres l'intent de redefinir determinats conceptes és pura iconoclàstia i tal vegada rebentisme, ganes de molestar. Però no ens deixem atabalar. De fet tot és més clar que l'aigua. Tornem als nostres propòsits d'abans: *ridimensioniamo*. Salvem el pomell de fenòmens assenyalats per Rubió i Lluch als temps de Joan I com una mostra de protohumanisme (l'etiqueta és de Fuster), més o menys il·lustre i meritòria, i desplacem l'interès al segle XV, que és quan es produeix a Occident, segons la tradició historiogràfica més generalitzada, algun tipus de trencament significatiu.

¿Com solucionar ara, doncs, la papereta del pas de l'Edat Mitjana al Renaixement a Catalunya, on no tenim al XVI cap gran valor literari ni artístic que justifiqui el desplegament de tota una «filosofia» del canvi substancial de manera de viure i de fer a l'entrada de l'era moderna? Si alguna cosa hi ha a Catalunya entre el XV i el XVI, culturalment parlant, són continuïtats, segons que anem comprovant cada dia.

Només un exemple significatiu. El meu col·lega Joaquim Garriga, que ha escrit una història de l'Art Català del segle xvi, és el primer que ha començat a dir les coses pel seu nom amb fermesa i claredat. Sense por de caure en cap trampa ideològica: a Catalunya, de Renaixement pròpiament dit, no n'hi ha. Hi ha un «Art de l'època del Renaixement», que a estones és renaixentista i, més sovint, és gòtic. Si algú gosés dir mai que una persona com Garriga, que ha catalogat tots els monuments, totes les escultures i totes les pintures de Catalunya d'un segle artísticament tan poc atractiu com el xvi, és un rebentista o un quintacolumnista ideològic, només perquè comprova que la periodització italocèntrica que es van inventar els alemanys del segle passat ve a contrapèl a la cultura catalana, tingui per cert, aquest algú, que podria comptar amb la meva més absoluta reprovació. És evident que el més elemental sentit comú juga a favor de la posició de Garriga; no cal dir que, des de la meva òptica literària, m'hi adhereixo plenament.

En poesia tenim, en efecte, del xv al xvi, més continuïtats que trencaments i és cosa sabuda que la poesia catalana no es desfà definitivament dels hàbits medievals fins que no s'imposa, en ple segle xvii, l'escola barroca. Pregunteu-ho a l'Albert Rossich, que ha fet l'edició crítica de Francesc Vicenç Garcia, ha estudiat la figura històrica d'aquest personatge i està censant tots els manuscrits poètics del barroc català. Les grans innovacions poètiques que Joan Boscà va transmetre a Garcilaso van tocar només d'esquitllentes la poesia catalana. Pere Serafí, com a petrarquista, no passa de ser un eco esmorteït i llunyà del famós sermó de Navagero; com a imitador de Boscà, pot fer pensar perfectament en una línia ininterrompuda des dels temps de Romeu Llull. La major revolució del món de les lletres, la impremta, ¿no és un fenomen que precisament, des del 1474, estableix continuïtats entre el segle xv i el xvi? Admetent que, en lloc de Decadència, és molt més exacte parlar de col·lapse de la quantitat i la qualitat de la producció literària al tombant del xvi, no em sembla cap bestiesa dir que totes les innovacions que les lletres catalanes experimenten al llarg d'aquest segle es podrien acabar qualificant com a importacions més o menys heterogènies i mal arrelades sobre un *humus* de continuïtat.

I ara ja som al cap del carrer. Als catalans, el que ens va bé són les periodtizacions historiogràfiques que es puguin comptar en «temps llargs», laxes, poc dialèctiques, i sobretot, respectuoses dels valors de l'Edat Mitjana. És una proposta purament pragmàtica. Els catalans, si algun temps vam tenir un cert paper en el concert de les nacions, va ser a l'Edat Mitjana. La nostra millor literatura és la dels segles XIV i XV, els segles que corresponen precisament a la Baixa Edat Mitjana, la que va ser anomenada per Huizinga, «Tardor Medieval». Tots els qui hagin llegit amb fruïció el vell i savi llibre de Huizinga comprendran que, tal com he plantejat les coses, l'etiqueta de Tardor Medieval és molt temptadora, si realment tenim la necessitat d'aferrar-nos a etiquetes per a explicar els fenòmens històrics.

El conegut historiador holandès descriu el clima cultural i vital d'una època, el segle XV als Països Baixos, a través de testimonis extrets de les cròniques dels ducs de Borgonya i d'altres informacions complementàries. El seu segle XV als Països Baixos és completament diferent del mitificadíssim Quattrocento italià, l'alba autèntica del gran canvi de la història de la humanitat, segons el que la historiografia a l'ús ensenyava a començaments de segle; és, però, un segle XV ric, contradictori, complex i ple d'una peculiar creativitat. És el segle que dóna vida, per exemple, a la pintura dels germans van Eyck, glòria de la cultura flamenca i producte artístic profundament medieval, segons el nostre autor. Heus ací com Huizinga, per tal de no ser engolit, com a defensor dels seus valors neerlandesos, pel xuclador de la divisió dicotòmica Edat Mitjana/Renaixement, se sent en la necessitat de dotar de personalitat pròpia l'acabament de l'edat de les tenebres.

L'únic problema de la maniobra ideològica de Huizinga és que es basteix sobre una fe incontaminada en la idea de la *renovatio* renaixentista i, per tant, la Tardor Medieval que en resulta és, de fet, decadent, amb símptomes de descomposició i de mort i amb totes les malalties de l'esperit pròpies de les manifestacions extremes dels grans moviments artístico-culturals. El Decadentisme del XIX és un Romanticisme exacerbat i febrós, i la Tardor Medieval és l'Edat Mitjana ultrada i senilment emmalaltida. Cal advertir, doncs, que en aquest sentit tan connotat, el terme de Tardor Medieval no ens convé gens a Catalunya (ni a ningú en general). El rerafons del *Tirant lo Blanch*, de March, del *Curial e Güelfa*, del *Spill*, no m'ho sembla, de decadent. Diria que no m'ho sembla gens; més aviat el trobo, literàriament parlant, coratjosament i imaginativament innovador. Pregunteu-ho a l'Anton Espadaler, que ha escrit sobre la naturalesa novel·lística del *Curial*. ¿Podríem parlar d'una Tardor Medieval entesa positivament, és a dir pensant tan sols en la idea de la plenitud i la saó dels fruits a la tardor, en l'espectacle magnífic dels arbres multicolors un matí gloriós a darreries d'octubre? No se m'escapa que aquestes imatges poden fer caure el meu discurs en l'impressionisme líric, però només es tracta d'una humil temptativa de salvar etiquetes consagrades, capaces de salvar, al seu torn, els fenòmens que ens interessen. Us ho explicaré ben clar d'una altra manera. Si de debò és necessari bastir el discurs historiogràfic a partir de teories que siguin avalades com a mínim per mig segle de vida, tinc la impressió que em sento capaç d'oferir als nostres estudiants una Tardor Medieval atractiva i fascinant, que els animi a creure que el nostre passat històric realment val la pena o que, si més no, pot resultar entretingut.

Huizinga produïa al primer terç de segle i era un home format i arrelat en concepcions idealistes de la història; parlava seriosament de l'esperit dels pobles i de les èpoques, però intuïa coses que encara avui interessen als historiadors partidaris dels «temps llargs», partidaris, per exemple, com Jacques Le Goff, d'una Edat Mitjana «llarga». Així, le Goff, arran de la segona edició francesa del llibre de Huizinga, ha volgut reconèixer en l'holandès un autèntic precursor de la seva posició. Gairebé tots els textos més importants de divulgació històrica del crític francès són traduïts a l'espanyol. Estic parlant, doncs, de propostes historiogràfiques notòries. Potser no és traduït, però, un petit assaig seu que ara m'interessa, el que porta com a títol «Pour un long Moyen Âge». És un text que va ser publicat en una revista el 1983 i recollit en volum el 1985. Jacques Le Goff hi predica la idea que cal reduir el Renaixement a les seves justes proporcions: *ridimensionare*. No és bo deixar-se enlluernar pel Renaixement: fou un esdeveniment brillant, però superficial, ens diu. La història, per al nostre autor, no és solament la dels fets intel·lectuals i artístics, sinó també la de les formes de vida, de la cultura popular, de les «mentalitats». Le Goff es mira l'Occident i hi veu un llarg període que va de la caiguda de Roma a la revolució industrial, amb subperíodes interns que en cap cas no comporten talls dialèctics entre els uns i els altres. L'historiador abona les seves tesis amb la remissió a teòrics que neguen la validesa epistemològica de tota periodització.

A Catalunya, l'Edat Mitjana «llarga» de Le Goff i dels qui pensen com ell, li va bé; almenys jo, com a estudiosa i divulgadora de la cultura literària catalana, m'hi trobo còmoda, dins d'una Edat Mitjana d'aquestes característiques. Em resulta fàcil de col·locar-hi el repertori de la història literària. Si més no, un plantejament d'aquestes característiques m'estalvia problemes. Ja no cal que em trenqui el cap fent jocs de mans amb els conceptes d'Humanisme i Renaixement. En puc parlar en minúscula i puc oblidar tota substantivitat atribuïda als períodes que designen. Hi ha coses que són humanístiques i coses que són renaixentistes. Bernat Metge, per exemple, té trets humanístics i Pere Serafí, renaixentistes. Són trets que conviuen amb d'altres i que ni els exclouen ni els engloben dintre d'una superior unitat de sentit.

Aquesta possibilitat de fer servir les grans etiquetes culturals buidades de metafísica, com a purs referents del discurs descriptiu de l'historiador, ja la va reivindicar fa anys sir Ernst Gombrich des de l'Institut Warburg de Londres. Qui ho desitgi pot llegir en castellà una magnífica conferència seva sobre aquestes qüestions, que circula a casa nostra amb el títol de *Tras la historia de la cultura*. Gombrich és efectivament una de les grans autoritats vivents que poden legitimar la maniobra que estic descrivint, és a dir la de manejar amb llibertat els grans conceptes historiogràfics sortits de la història de l'esperit de l'idealisme alemany. Ell, que és de nissaga i cultura germàniques, ha estat capaç d'explicar als britànics i a la resta de la humanitat, el pensament historiogràfic d'Aby Warburg, el fundador de l'Institut que ell dirigia i una ment tan genial com afectada per tots els tics del recargolament i de l'obscuritat propis d'una determinada manera de fer molt entranyablement alemanya i molt entranyablement vuitcentista; una lliçó de desmitologització i de pragmatisme.

Però no m'he pas proposat d'indicar solucions definitives i «obligatòries», sinó de plantejar problemes. Almenys d'ençà del llibre de Wallace Ferguson, *The Renaissance in Historical Thought* (1948), tinc entès que regna entre els especialistes la pitjor de les perplexitats sobre el sentit, el valor i l'abast que cal donar al mot Renaixement. Tant s'ha arribat a discutir sobre la qüestió, que Paul Oskar Kristeller, un altre dels grans coneixedors del Renaixement italià en el seu vessant humanístic i filosòfic, va sentir, ja fa anys, la necessitat d'escriure que «el problema del Renaixement» és en realitat un pseudo-problema, ja que «molts estudiosos tenen la tendència de prendre el Renaixement com un camp de batalla imaginari on lliuren combats de política del segle xx». Les batalles que jo trobo que els estudiosos duen a terme darrera dels mots Renaixement i Humanisme són bàsicament batalles nacionalistes, almenys jo no en conec d'altres de tant sonades, llevat potser de les batalles de caràcter sociològico-marxista d'un Hauser. Parlo de bibliografia coneguda habitualment a casa nostra.

¿Qui és, per exemple, l'autor que, des d'una perspectiva crítica i des d'un saber matisadíssim i madurat, defensa més clarament el Renaixement italià amb totes les seves implicacions i projeccions, des dels prestatges de les nostres llibreries? Algunes editorials de Barcelona i de Madrid ens han fet el servei incalculable aquests darrers anys de posar-nos a l'abast el pensament historiogràfic d'Eugenio Garin, un florentí, mestre de mestres en estudis de filosofia italiana de l'Humanisme i del Renaixement. El títol d'una de les versions castellanes de Garin és ben eloqüent: *La revolución cultural del Renacimiento*.

Evidentment no és casual que un italià de Florència, Garin, trobi arguments per a defensar el Renaixement com el motor del canvi més important de la història d'Occident i un francès, Le Goff, el redueixi a un fenomen brillant però superficial. És evident que en la polèmica s'hi debaten qüestions ideològiques de caràcter general i no tan solament prejudicis nacionalistes; que Garin fa una història diguem-ne culturalista i Le Goff una història diguem-ne social i de mentalitats; però, permeteu-me observar que la part del llibre de Le Goff *Les intellectuels au Moyen Âge* (n'existeix versió espanyola) destinada a parlar dels humanistes, és ostensiblement dura i injusta amb els homes de la corda de Petrarca i els seus seguidors. Resulta que els segles XII, XIII, XIV i XV són plens de genis colossals, d'Abelard a Gerson, fonamentalment gàl·lics, mentre que els cultivadors dels *studia humanitatis* d'ençà del XIV, fonamentalment itàlics, representen el començ d'una estirp suspecta de personatges elitistes i tancats a la realitat, que acaben fent de cortesans, d'esquena a l'autèntica vida de la gent. No sabria dir què és més poc exacte, si aquesta esquematització o els ditirambes de l'Humanisme que llegim als textos italians on, per exemple, un Ugo Dotti pot arribar a definir l'Humanisme italià dels descendents intel·lectuals de Petrarca com l'«apassionada reivindicació de la funció històrica progressiva d'un saber que, heretat pel moviment de la il·lustració, va marcar la civilització filosòfica i científica moderna».

Després d'aquest llarg periple torno als petits problemes domèstics del docent universitari barceloní dels nostres dies. Ja em permeteu que, precisament en nom d'aquest criptonacionalisme de què parlava suara, i del qual val a dir que podríem trobar dotzenes d'exemples sense sortir de la península ibèrica, faci un suggeriment a favor de la Tardor Medieval i d'una visió de l'Edat Mitjana de llarg alè. Si tothom entra a sac en la història de la cultura a la recerca d'aquells plantejaments que més poden afavorir els seus pressupòsits nacionals, no veig per què els professionals de la història de la literatura en català hauríem de renunciar a la nostra part del botí. Els nostres veïns de l'occident peninsular prou que s'espavilen. Els castellans, en matèria d'Humanisme i Renaixement, en efecte, estan adoptant posicions molt matisades i prou diversificades. A ells és evident que els interessa subratllar la importància del Renaixement, perquè tenen un Nebrija i al darrere un Siglo de Oro. D'aquí la recent florida de traduccions d'obres de Garin i d'altres estudiosos del Renaixement com Kristeller o Cantimori. Però també els interessa, als espanyols, reivindicar la substantivitat de la cultura del xiv i del xv perquè en el fons és molt més autòctona i genuïna que no pas les importacions del savi Antonio de Nebrija i tota la «invención del Renacimiento» que se'n deriva. La bibliografia sobre literatura i cultura castellana del xv és plena de descobriments d'uns humanismes (de vegades «humanismes vulgars») ben *sui generis*, no pas unànimement acceptats, i d'intents de caracterització de la singular naturalesa de la cultura del xv «pre-renaixentista». Llegiu la *Historia y crítica de la literatura española* de Francisco Rico als llocs que correspongui.

Resulta molt instructiu el contrast entre la bibliografia sobre Castella i la bibliografia sobre Aragó, culturalment parlant, als segles xiv i xv; s'hi poden rastrejar els mateixos intents de descobrir en el passat històric una solidesa humanística justificadora de nacionalismes moderns. Només que a Catalunya vam començar abans a fer-ho. Seguramente perquè teníem una necessitat peremptòria d'autoafirmació que encara ens dura, òbviament.

La Tardor Medieval és folgada i acollidora. S'hi barreja de tot. Manuscrits humanístics procedents d'Itàlia, prèdiques de frares devotíssims, aventures cavalleresques, poesia de certamen, moralitzacions ovidianes, cròniques universals, traduccions de clàssics i d'italians, poesia de cançoner castellana... L'aiguabarreig és ric, les peces literàriament valuoses no són escasses. L'únic problema que veig és que se'ns ocorregués de definir-la, aquesta Tardor Medieval, de classificar-la i de caracteritzar-la de forma inequívoca i excloent. Ja tindríem una porta tancada. Per prudència proposaria de retirar les majúscules, dir «tardor medieval», senzillament per no repetir sempre «els segles xiv i xv», l'«època en què a Itàlia floria la *nuova cultura dell'Umanesimo*».

[1986]

A PROPÒSIT DE L'EDICIÓ DE LES OBRES DE JERONI PAU

Existeix una tradició erudita a Catalunya que assigna als anys que van entre les primeres mencions de Petrarca el 1387 i la mort de Joan Roís de Corella el 1497 un període historiogràfic que exhibeix l'etiqueta d'«humanisme català». Ja fa anys que insisteixo en la inexactitud de la designació i en les confusions que comporta.

Al meu entendre, en lloc d'un «humanisme català», el que cal prendre en consideració són una colla de fenòmens propis de la baixa Edat Mitjana europea, tals com el predomini de la cultura urbana, l'augment de la difusió del saber entre els laics, la major circulació de textos i l'explosió conseqüent de la curiositat intel·lectual; a la Corona d'Aragó tot això cal situar-ho en el context del que podríem anomenar la política cultural de Pere el Cerimoniós i dels seus fills Joan I i Martí l'Humà. Tombat ja el segle XV i després de l'extinció de la dinastia de Barcelona i de la instauració dels Trastàmara, de Ferran I a Alfons el Magnànim, a Joan II i Ferran II, assistim a la penetració cada cop més insistent dels productes culturals elaborats pels humanistes italians que havien redescobert *filològicament* el món clàssic; sobretot després de la popularització de la impremta, però no exclusivament, la seva irradiació és poderosa en un moment en què la península ibèrica tendeix a nivellar les diferències entre els dos àmbits tradicionals d'Aragó i Castella.

El panorama cultural del XV peninsular presenta unes constants que el singularitzen: les de l'esforç per «modernitzar» o «actualitzar», mal que fos de forma superficial o confusionària i segons el model mal comprès que ve de l'antigor a través d'intèrprets italians, el llegat de la tradició literària romànica i filosòfica escolàstica, que tenia tan ben arrelat. El símptoma més clar és la insuficiència dels coneixements de llatí de tots els traductors més o menys improvisats i de tots els «amateurs» dels clàssics més o menys il·lustres. Per això Jordi Rubió deia que calia posar els punts sobre les is i distingir entre un «humanisme vulgar» i un «humanisme llatí». Com a estudiosos de les lletres catalanes només ens toca de tenir accés al primer; però és prou clar que, si els models d'humanista (o d'home de «reverenda letradura», que deia l'autor del *Curial*)[1] al Quattrocento italià són Petrarca, i secundàriament el Boccaccio mitògraf, Poliziano, Valla i Leonardo Bruni, tots erudits i llatinistes, podem estar segurs que no els trobarem parió entre els qui es van expressar en català.

¿Defenestrarem, doncs, l'«humanisme català» com si es tractés d'una impostura ideològica heretada del noucentisme patriòtic més *demodé*? Em fa l'efecte que la solució és encara en les lliçons de Jordi Rubió, si les volem entendre bé. Si hi tenim especial adhesió, podem reservar amb tots els honors l'etiqueta d'«humanisme català» als qui, catalans de llengua i de cultura, van escriure al segle xv en llatí i amb motlles homologables als dels *studia humanitatis*: el Cardenal Joan Margarit, el poeta i legista Jeroni Pau, el gramàtic Joan Ramon Ferrer i una colla d'altres gairebé desconeguts que enllacen amb el fervor amb què va ser acollida a Catalunya, entrat ja el segle xvi, la reforma en l'ensenyament del llatí propugnada per Nebrija. Tal vegada seria més exacte, però, parlar de l'humanisme a la Corona d'Aragó al segle xv. L'estudi dels humanistes catalans entesos en aquest sentit és un camp pràcticament per explorar, que ens pot oferir encara sorpreses. Fins ara podíem parlar de Margarit gràcies a la monografia de Robert Brian Tate; ara podem ampliar el camp amb Jeroni Pau, ja que Mariàngela Vilallonga ens en posa a l'abast l'obra més estrictament literària als dos volums d'*Obres* (Barcelona: Curial, 1986), objecte de les presents reflexions. La descripció tècnica que fa l'estudiosa gironina de les aptituds culturals del canonge barceloní acredita aquest darrer com un col·lector d'inscripcions, un historiador de les antiguitats romanes, un autor d'epístoles retòriques, un poeta que centoneja a base de Marcial i de Prudenci i un jurista que treballa a la cancelleria apostòlica. Es tracta d'activitats que per elles soles caracteritzen el tarannà cultural dels *studia humanitatis* i que bé poden meréixer per a qui les duia a terme la designació d'humanista sense que es confonguin les aigües ni saltin les alarmes. Abonant les afirmacions de Francisco Rico al pròleg dels volums que ens ocupen, sento la necessitat de proclamar que l'aparició d'un treball com el de Mariàngela Vilallonga fa època; si fins ara «el fantasma de l'*humanisme català* ha estat el més gran impediment per a l'estudi de l'humanisme a Catalunya», a par-

---

[1] Vegeu més avall el text 5.

tir del nostre llibre sobre Pau ha arribat definitivament l'hora d'estudiar l'humanisme a la Corona d'Aragó al segle xv i d'arxivar sense recances el vell *humanisme català*, somniat per alguns erudits de formació noucentista a partir dels grans textos fundacionals d'Antoni Rubió i Lluch. Pel que fa a mi, mai com ara no ho havia vist tant clar ni havia tingut tant coratge per a incidir en la qüestió.

Així doncs, els autors catalans afectats de classicisme literari o d'idees més o menys innovadores en el món del pensament (de Bernat Metge a Antoni Canals, a Felip de Malla, a Joan Roís de Corella), els estudiarem dintre del context que els és propi, és a dir el de l'aiguabarreig de la cultura urbana de la baixa Edat Mitjana o tardor medieval. Presos des d'aquest punt de vista, potser també trobarem que estan tots per descobrir o, si més no, per interpretar amb una mica de sana voluntat arqueològica.

Finalment, i en un ordre de coses que és ja bastant aliè a la literatura, jo seria partidària de desencallar els teòlegs i els escriptors de matèries religioses menys elevades del banc de sorra de l'humanisme. La història de l'espiritualitat i de la teologia té els seus camins: això val per a Eiximenis, Vicent Ferrer, Canals o Malla, que s'expressaven també en català, i per a personatges com Ramon Sibiuda, que només ho feia en un llatí per cert ben poc humanístic.

Després d'haver donat eixida a les consideracions de caràcter historiogràfic que susciten els dos volums que Mariàngela Vilallonga dedica a Jeroni Pau, passaré a una sumària consideració dels continguts.

L'autora del treball que ens ocupa ha emprès l'edició i l'estudi de la vida i l'obra de Jeroni Pau, com si es tractés d'un autor llatí antic: posant, doncs, a contribució tots els sabers propis d'un filòleg clàssic. Això és especialment rellevant pel que fa a la fixació del text, el qual esdevé el centre d'interès fonamental de tota la recerca. Així, disposem de les obres literàries de Pau en edició crítica, amb el corresponent aparat de variants i, a més, d'una traducció interpretativa al català, complementada, quan és el cas, amb un aparat de fonts i amb les notes històrico-filològiques de rigor.

Per primera vegada podem parlar de les obres completes de Jeroni Pau, ja que fins ara pràcticament només disposàvem dels poemes publicats per Villanueva, Amador de los Ríos i Bofarull, en llocs no sempre a l'abast, i de l'opuscle *Barcino*, publicat per Casas Homs el 1957. Això és, almenys, el que hom podia arribar a conèixer de Pau sense iniciar una recerca ja específica sobre la seva persona i obra. A banda queda la *Practica Cancelleriae*

Apostolicae, que és una recopilació de caràcter jurídic impresa repetidament ja des del segle xv, editada amb criteris moderns i finalment estudiada des d'un punt de vista tècnic per Antonio Era. Els volums que ens ocupen prescindeixen gairebé totalment d'aquesta obra, ja que l'autora considera que no pertany al seu camp de recerca. Malgrat tot, les pàgines 133-43 del primer volum es destinen a extreure de les anàlisis dels especialistes en dret els trets culturals més rellevants del treball més conegut de Pau. Es tracta d'una col·lecció de procediments legals extrets d'autors diversos, concebuda com un repertori d'ús. El que interessa és la riquesa de fonts i la presència d'autors clàssics i humanístics. Pau, per exemple, recull materials sobre les relacions poder civil-poder eclesiàstic i sap aprofitar amb coneixement de causa el famós opuscle de Valla *De falso credita et ementita Constantini donatione* (1440), model d'aplicacions revolucionàries de la filologia a la vida política.

Heus ací, doncs, que el Pau jurista ja se'ns mostra a l'alçada de les circumstàncies. ¿D'on havia tret la capacitació professional per a aconseguir-ho? Mariàngela Vilallonga fa tots els possibles per esbrinar-ho jugant amb les escasses i de vegades sorprenents dades que ens forneix la seva biografia. La majoria d'aquestes dades procedeixen de l'opuscle de Pere Miquel Carbonell sobre els varons il·lustres catalans i de les seves *Cròniques* i altres anotacions disperses. L'admiració que Carbonell professa per Pau, que era cosí seu, pot ser un índex de l'«alteritat» de la seva formació; tot amb tot, els misteris no deixen de sotjar, començant per la data de naixement que ens ha llegat Carbonell, el 1458. Això faria que Pau tingués només disset anys quan va entrar al servei del cardenal Roderic de Borja, futur Alexandre VI, a Roma, el 1475. ¿Un jove de disset anys amb més formació d'humanista que cap altre súbdit de la Corona d'Aragó? En qualsevol cas, aquesta formació la va adquirir a Itàlia, ja que hi ha referències indirectes a les seves estades a Bolonya, a Perusa i a Pisa. L'afer, però, és tan obscur com el de la data de naixença. Mariàngela Vilallonga, per cert, aposta per l'infant prodigi, que als disset ja escriu el seu primer opuscle erudit, un tractat geogràfic sobre les muntanyes i els rius de les Espanyes. Francisco Rico protesta des del pròleg. ¿Per què? ¿Quants anys tenia Leopardi quan va escriure el tractat sobre els errors astronòmics dels antics?

De fet, el que ens consta amb més claredat és que Pau va morir a Barcelona el 1497, després d'haver tornat a aquesta ciutat per una greu malaltia el 1492, i això s'esdevenia justament quan el cardenal Borja pujava al soli pontifici; Pau no hauria arribat als quaranta ni hauria tingut ocasió de viure els anys de la màxima plenitud del poder dels Borja.

Aquest erudit excepcional, relacionat amb el bo i millor dels intel·lectuals d'Itàlia i de la Corona d'Aragó (vegeu les pp. 66-110 del volum I), ¿és també un literat important? ¿Té algun interès, per exemple, la seva obra lírica, més enllà del joc de les *iuncturae* que tan bé detecta i estudia Mariàngela Vilallonga? ¿És alguna cosa més que un assagista erudit i un imitador hàbil del parnàs llatí? Mariàngela Vilallonga justament fa observar el contingut ideològic de la lírica de Pau (p. 144 del volum I), que sabem que el 1481 era canonge a Vic i el 1485 a Barcelona (p. 42, *ibid.*). Això explica la seva predilecció per les fonts cristianes i la correcció que opera en alguna ocasió sobre les llatines. És interessant, en aquest sentit, el seu poema XX, el *Triumphus de cupidine elegia*, que és una recreació del segon del primer llibre dels *Amores* ovidians. Pau recorda l'esquema dels *Trionfi* de Petrarca per a descriure, gairebé sempre amb mots manllevats, la victòria sobre la passió sensual. L'elegia maneja elements al·legòrics que connecten també amb la tradició de l'amor cortès; en qualsevol cas, el que queda per estudiar és el seu tractament de la superació de la malaltia d'amor, un tema omnipresent en la literatura catalana del XV, de March a Corella passant per Roig. Seria precipitat emetre judicis sense una major reflexió, però sembla que Pau aconsegueix una peça retòrica sobre aquest tema prou convincent i acabada en relació amb el que feien els seus connacionals d'expressió catalana. Queda obert, doncs, entre d'altres, el tema de la permeabilitat entre les tradicions líriques.

D'altra banda, sembla que el poema de més ambició de Pau és el XXII, un himne panegíric dedicat a sant Agustí el dia de la seva festivitat. L'editora ens adverteix que el tret fonamental de la peça és el seu caràcter erudit i humanístic, però també és lícit recordar la poesia hagiogràfica coetània en català, la que desemboca en la inacabable literatura de certamen. ¿En quin lloc quedaria Pau si establíssim algun gènere de comparacions? També en aquest cas les sospites van en el sentit de la valoració positiva dels exercicis del nostre canonge.

No sempre són possibles aquest gènere de reflexions, però; molt sovint els temes de Pau són específicament propis de la tradició clàssica, com ara quan dialoga amb les Muses al poema XXI a propòsit del seu abandó momentani del conreu de la literatura. Com també és rabiosament humanístic el dístic que Pau dedica a Barcelona (XV) on resumeix en l'espai de dos versos emblemàtics els seus estudis filològics i històrics sobre l'etimologia del nom de la seva ciutat natal. En aquest terreny Pau s'allunya de la literatura catalana d'època fins a uns extrems absoluts: pertany a un altre horitzó cultural. No ens ha d'estranyar, doncs, que entre les seves obres en prosa es comptin textos com l'epístola a Teseu Valentí (pp. 56-65 del volum II) destinats a descriure el tipus de formació que cal adquirir per a entrar a formar part d'aquest altre horitzó cultural.

¿I què en pensa Pau de les tradicions del seu país natal? Heus ací un punt apassionant que mereix futures investigacions. D'entrada crida l'atenció el descobriment que els humanistes de la segona meitat del xv fan d'Espanya o, amb paraules del nostre escriptor, de les Espanyes. Pau, quan es refereix a la seva terra natal, retreu Barcelona reiteradament i, més enllà, la vella província romana. Margarit i Pere Miquel Carbonell, sempre vinculat al nostre, van sovint pel mateix camí. Ja he dit que no és el cas de treure, ara com ara, conclusions. El que cal fer de moment és incorporar Jeroni Pau als nostres treballs de recerca sobre el segle xv i acollir amb entusiasme aquesta col·laboració tan estimulant que ens ve dels col·legues de filologia clàssica: tan de bo l'exemple de Mariàngela Vilallonga representi l'obertura d'un sector nou de les antigues lletres catalanes.

[1987]

II
PER A LA INTERPRETACIÓ D'UNS TEXTOS

4.

«SIATS DE NATURA D'ANGUILA EN QUANT FARETS»: LA LITERATURA SEGONS BERNAT METGE

> *Per a comprendre ben bé el sentit i les intencions de l'obra de Bernat Metge, caldrà fer constants referències a esdeveniments històrics i polítics, car la producció literària d'aquest escriptor, sobretot la seva obra màxima,* Lo Somni, *no pot tenir una explicació vàlida, si no la relacionem amb els fets que la motivaren.*
>
> Martí de Riquer

1. Introducció

«Si velis anguillam vel muraenulam strictis tenere manibus, quanto fortius presseris, tanto citius elabitur». Aquests mots de sant Jeroni en la seva *Praefatio in librum Job* (P.L., XXVIII, col. 1140) volen donar embranzida a l'enunciat de la tesi d'aquest article, la qual s'expressa al títol, de mà del mateix autor estudiat (*Sermó*, vv. 82-83).[1] El sant filòleg va trobar en un determinat moment que les eternament proverbials anguiles li servien per a expressar la dificultat que comporta interpretar. «Hoc unum scio», diu sant Jeroni una mica més avall en el lloc citat, «non potuisse me interpretari, nisi quod ante intellexeram». El sentit «altre» del llibre de Job s'escapa entre els dits del ciceronià penedit, que confiava, en canvi, de donar-nos en la seva traducció, esdevinguda la Vulgata, allò que no era interpretació, sinó tot just comprensió del text original. Si tot un sant enfrontat a la *sacra pagina* tenia tants de problemes, ¿què podem esperar de l'esforç d'un filòleg modern que s'esmerça a treure l'entrellat d'un text — *Lo Somni* de Bernat Metge — que, no únicament no és gens sagrat, sinó que, per afegitó, fou escrit per un home capaç d'aconsellar-nos de ser i fer com les anguiles? ¿Podem confiar de tenir la justesa de criteri suficient per a interpretar allò que tal vegada vol defugir una intel·lecció unívoca?

[1] Totes les referències a textos de Bernat Metge incloses en aquest treball procedeixen d'*Obras de Bernat Metge*, edición crítica, traducción, notas y prólogo por Martín de Riquer (Barcelona: 1959), abreujat: *Obras*. Els versos del títol procedeixen de la p. 6 de l'esmentada edició.

La història del nostre coneixement de la personalitat i de l'obra de Bernat Metge ha assolit al segle xx la fita màxima en els treballs de Martí de Riquer del 1959 i el 1964.[2] Aquests treballs són el nostre punt de partida obli-

[2] El llibre de Riquer citat a la nota anterior és preceptiu no solament pel que fa al text de Metge, sinó també per a la seva interpretació general i el seu estudi detallat. Cal afegir-hi, del mateix autor, el capítol corresponent de la *Història de la Literatura Catalana (HLC)* (Barcelona: 1964), vol. II, pp. 357-432, que incorpora algunes petites novetats que ja seran oportunament comentades, i situa Metge en el marc de la història literària. Hi ha, doncs, un *abans* de Riquer i un *després* de Riquer en els estudis sobre Metge. El *després* està integrat sobretot per obres de divulgació (l'*Obra completa de Bernat Metge*, a cura de Lola Badia i Xavier Lamuela, Barcelona: 1975, i Bernat Metge, *Lo Somni*, a cura de Marta Jordà, pròleg de Giuseppe Tavani, Barcelona: 1980), i per algun tímid intent de perfilar dades ja adquirides (Giuseppe Tavani, «La *Griselidis* de Petrarca i la *Griselidis* de Bernat Metge», *Els Marges*, Núm. 16 (1979), 99-104). En la nostra no gens còmoda situació del *després* d'una cosa tan ben acabada, haurem de fer una mica de marxa enrera i retreure treballs de l'*abans* que ens sembla que ajuden a marcar el canvi d'inflexió històric que representa el volum riquerià. El número XXVII del *Boletín de la Real Academia de Buenas Letras de Barcelona* (1957-1958) conté dos articles reveladors pel que fa a l'apreciació ètica que la crítica pot exhibir modernament respecte a Metge. L'un, d'Antoni Vilanova, «La génesis de *Lo Somni* de Bernat Metge», pp. 123-56, és l'últim testimoni històric possible d'una actitud admirativa i reverencial no alertada davant del secretari de Joan I; l'altre, de Marina Mitjà, «Procés contra els consellers, domèstics i curials de Joan I, entre ells Bernat Metge», pp. 375-417, aporta una documentació d'arxiu que dóna a conèixer uns detalls de la vida de Metge, que ens duen a classificar-lo definitivament entre els homes públics de moralitat dubtosa. Concretament a la p. 410 llegim allò de si havia rebut «... MDCCC florins per subornació o per corrupció o per celar les malvestats...»; davant d'aquestes notícies es fa difícil un «onorate l'altissimo poeta» que qualifiqui Bernat Metge com «aquel primer humanista barcelonés que desde la remota lejanía de seis siglos se yergue ante nosotros como el máximo artífice de la prosa catalana medieval y el verdadero iniciador del prerrenacimiento en las letras hispánicas» (Vilanova, p. 156). Si de cas, després de la publicació de les actes del procés del 1396, Metge podrà ser tingut en compte com a murri simpàtic o com a geni que s'ha de fer perdonar mancances. I amb això creiem que tenim a la mà la primera clau per a llegir Metge: és un escriptor que fonamentalment juga a comprometre's sense compromís i a exculpar-se cantant palinòdies més o menys enganyoses. Tota valoració de conjunt entusiasta i ingènua anterior a aquesta constatació cal posar-la en entredit, des de la pàgina de Ferran Valentí, que

gat, pel que tenen d'acostament saludablement positivista i innovadorament constructiu al problema i pel que tenen també de plantejament del «cas Metge» com un cas a part. És prou difosa la idea que identifica la història dels grans valors literaris amb la història d'unes quantes lluminoses excepcions amb vida pròpia pel damunt del que és l'*humus* cultural que les nodreix; en aquest sentit ens hem d'apressar a observar que l'excel·lència literària de Metge, pel sol fet de no tenir parió en el seu context, només pot ser abordada des d'aquesta consideració prèvia, és a dir, que es tracta d'un cas a part. Així haurem conjurat d'entrada l'engavanyadora qüestió d'un «humanisme català» al segle XIV:[3] ens esforçarem de moment a entendre Metge al marge d'etiquetes i de valoracions preconcebudes que ens predisposen a veure'l obsessivament des del prisma d'uns certs canvis històrics d'àmbit ideològic o literari.

Com que som molt lluny de renegar del principi d'autoritat, caldrà invocar encara la de Francisco Rico a aquest darrer propòsit. Llegiu l'últim paràgraf del seu recent «Petrarca y el *humanismo catalán*»;[4] ens hi ve a dir que no resulta còmode fer encaixar Metge en un discurs general sobre la

---

citarem ara mateix, endavant. De tota manera en l'*abans* de Riquer hi ha multitud de coses que poden ser desempolsades i reinserides en un discurs del *després*; coses de J. M. Guàrdia, el primer editor de *Lo Somni*, de Farinelli, de Casella, de Nicolau d'Olwer, de Casacuberta, de Batllori i, molt especialment, de Vilanova o de Pere Bordoy-Torrents (vegeu la nota 67), que són uns estudiosos de Metge especialment estimulants. Per a les referències bibliogràfiques de tots plegats, vegeu les notes que segueixen o les pp. *245-*253 d'*Obras*.

[3] Els crítics d'*abans* de Riquer, de qui es parla a la nota anterior, i els qui es mantenen fidels a principis historiogràfics un pèl dogmàtics d'aquest *abans*, solen postular l'existència d'un «humanisme català» històricament substantiu que s'inaugura els darrers anys del regnat del Cerimoniós per a continuar feliçment fins a desembocar en un renaixement del cinc-cents. Metge és l'estrella més lluminosa del firmament d'aquest humanisme d'extraordinària precocitat, tal com ja hem descrit en el primer treball d'aquest volum. En atacar de ple el número 1 del suposat moviment, per arribar a la conclusió que és «de natura d'anguila», com es veurà, contribuïm conscientment a reblar el clau del caràcter esmunyedís, «escurridizo» diu Francisco Rico (vegeu la nota següent), del fenòmen historiogràfic que ens ocupa.

[4] *Actes del sisè col·loqui internacional de llengua i literatura catalanes* (Montserrat: 1983), pp. 257-91.

recepció de Petrarca a Catalunya, perquè Metge és com una altra cosa i «tiempo habrá, si Dios quiere, para volver sobre él con cuanta detención haga falta».[5] A l'espera, doncs, que Francisco Rico trobi un temps, que no dubtem que Déu li voldrà concedir, no intentarem de pescar la seva anguila petrarquesca: ens dedicarem a d'altres i procurarem d'atrapar-les usant algun tipus d'enginy, ja que massa ens té dit la tradició que desconfiem de fer-ho ingènuament amb les mans totes nues:

> qui té anguila per la cua
> i la dona per la fe
> bé pot dir que res no té.[6]

II. LECTORS

L'exercici de replantejament del cas Metge que proposem, comença amb algunes reflexions sobre el que coneixem de la transmissió de les seves obres. Com és sabut, Metge va ser llegit al segle XV, va caure en l'oblit durant el XVI i no va tornar a la llum fins l'any 1889.[7] ¿Qui llegia Metge al XV? ¿Com era apreciat? ¿Què entenien els seus lectors? L'esment de Metge al pròleg de la traducció de les *Paradoxa* de Ciceró de Ferran Valentí situa aquest darrer autor en el pla de l'excepció reveladora d'uns gustos i d'uns sabers molt explicables en un intel·lectual que es vanta de ser deixeble de Leonardo Bruni. Sembla que Metge desvetlla admiració i que el seu *Somni* mereix respecte; tanmateix, allò que defineix aquesta obra, per a Ferran Valentí, és el fet de ser en gran part una traducció de Ciceró i de Boccaccio. Metge és, doncs, un traductor que encapçala la llista dels anostradors de les *Històries troianes*, Valeri Màxim, Boeci, les epístoles de Sèneca, Flavi Josefus, Livi i el Ciceró del *De Officiis*.[8] Considerar, com fa Valentí, Metge,

---

[5] *Ibid.*, p. 291.

[6] Testimoni volgudament agafat a l'atzar, del *Flor d'enamorats*. Vegeu Josep Romeu i Figueras, *Joan Timoneda i la «Flor de enamorados». Cançoner bilingüe. Un estudi i una aportació bibliogràfica* (Barcelona: 1972), p. 31.

[7] Vegeu el text 1 d'aquest volum.

[8] Ferran Valentí, *Traducció de les «Paradoxa» de Ciceró*, text, introducció i glossari de Josep M. Morató (Barcelona: 1959). De Metge es diu, després d'haver citat Arnau Daniel i Llull com a usuaris il·lustres del català: «E per què veges los propinqües

un traductor, serveix per a explicar-nos certs aspectes del seu tarannà lite-rari com veurem més endavant, però *Lo Somni* és bastants coses més que una versió de Ciceró i Boccaccio! Ara bé, tot i admetent que el pròleg a una traducció no és un manual de crítica literària, i menys al segle xv, hem de fer observar que Ferran Valentí no mostra pas haver entès gaire el mis-satge de *Lo Somni*. ¿Què podem dir ara dels altres testimonis de la presèn-cia del nostre autor al xv, que són infinitament menys explícits que no pas el seu?

El manuscrit 831 de la Biblioteca de Catalunya conté només obres de Bernat Metge en vers i en prosa i és mostra, doncs, d'un interès específic per l'autor. De *Lo Somni*, hi figura només una gran part del tercer llibre, la que reprodueix el Corbaccio. Algú que reuneix en un còdex una traducció del *De Vetula* i l'esmentat fragment de l'obra misògina de Boccaccio sem-bla que veu en Metge un autor de tema amorós i de vena satírica a jutjar també per la presència del *Sermó* i de la *Medecina*. L'interès pel personatge hauria pogut dur a copiar també el *Libre de Fortuna e Prudència*, de tema més greu i elevat. Però el cas del manuscrit 831 també és excepcional perquè la sort habitual dels textos de Metge és, pel que fa als rimats, anar a parar a al-gun cançoner miscel·lani[9] i, per als escrits en prosa, sobreviure atzarosament de vegades en companyia d'escrits d'esperit molt diferent.[10] En aquest sentit,

a nostra edat, pensa lo que ha fet en Bernat Metge, gran cortesà i familiar real, en la gran *Visió e Sompni* per ell compost, part de la qual pots veure en la primera *Qüestió Tusculana*, e part per lo Bocatci recitat e narrat», p. 41.

[9] És el cas del manuscrit 8 de la Biblioteca de Catalunya, segon tom del canço-ner Vega-Aguiló, que conté el text del *Sermó* i del *Libre de Fortuna e Prudència*.

[10] És ben sabut que els manuscrits que es conserven de la producció de Metge són pocs. A part dels 8 i 831 de la BdC ja esmentats, hi ha el 12 i el 1716 (aquest corres-pon al *Decameron* català) que contenen el *Valter e Griselda*; el 17 de la Biblioteca Uni-versitària de Barcelona que conserva *Lo Somni* i el *Valter e Griselda*; el 305 del fons es-panyol de la Biblioteca Nacional de París que conté el text de *Lo Somni* descobert i editat per Guàrdia; el de l'Ateneu Barcelonès, de què parlaré més avall, i el també parisenc (esp. 55) que conté l'inici de l'*Apologia* (vegeu el catàleg de Morel Fatio, p. 6 i Bohigas, *EUC*, XV (1930), p. 116). En total són vuit manuscrits; no hi ha cap obra que tingui més de quatre testimonis, però, en canvi, n'hi ha dues de tradició única. Vegeu *Obras*, pp. *199-*202. Cal subratllar que si el contingut del ms. 305 de París fa pensar en una acumulació casual de textos (a més de *Lo Somni* hi ha poesies de Pere Torroella i obres castellanes que no hi tenen gran cosa a veure), el 17 de la Universi-

se'ns ha plantejat el dubte de si en algun cas la companyia en què es troben les obres de Metge en alguns còdexs pot fornir algun indici, i ens ha cridat l'atenció especialment la composició del manuscrit de l'Ateneu Barcelonès que conté *Lo Somni*.[11] Veure copiades de la mateixa mà quatre obres lul·lianes (*Libre d'intenció, Libre de cavalaria, Libre dels articles de la fe, Los proverbis de Ramon*) i *Los quatre libres del Sompni d'en Bernat Metge* fa pensar d'entrada en la possibilitat de llegir *Lo Somni* com una obra tan seriosa i formativa del bon zel cristià com les que la precedeixen; de fet, encara que Llull i Metge es barregessin per atzar al còdex de l'Ateneu, el mer fet d'haver convergit ja podia induir algun lector a associar-los en l'esperit dels seus escrits. Si una cosa tal es produí alguna vegada, podem estar segurs que ni Metge ni Llull no en podien sortir gaire ben parats. En aquest sentit, ¿què devia entendre de *Lo Somni* aquell Gabriel Tries, «sparoner», que tingué l'acudit de comprar-lo a l'encant dels llibres d'Antoni Mur el 24 de març de 1463?[12]

Si anem a buscar la presència de Metge en obres literàries posteriors, la

---

tària de Barcelona presenta una composició més interpretable. *Lo Somni* va acompanyat del *Scipió e Aníbal* de Canals, a banda del *Valter e Griselda*: això podria fer pensar en gustos marcadament italians i llatinitzants. Però el manuscrit també conté obres d'apareguts i de viatges al més enllà; això hauria de fer pensar en una lectura de *Lo Somni* com una obra definida sobretot per la presència de Joan I, Orfeu i Tirèsias vistos com a emissaris de l'altre món.

[11] Vegeu la descripció de J. Massó i Torrents, «Manuscrits de l'Ateneu Barcelonès», *Revista de bibliografia catalana*, I (1901), 159-64.

[12] Reporta la notícia J.M. Madurell a *Manuscrits en català anteriors a la impremta* (Barcelona: 1974), p. 88, i la recull Carme Batlle a «Las bibliotecas de los ciudadanos de Barcelona en el siglo xv», *Livre et lecture en Espagne et en France sous l'ancien régime* (París: 1981), p. 30. No deixa de ser curiós comprovar que al costat de *Lo Somni* circulà el xv entre els menestrals barcelonins aquell *Viatge al purgatori* de Ramon de Perellós, escrit en idèntiques circumstàncies, de què parlarem més endavant. Vegeu Madurell, p. 41 i Batlle, *ibid*. A propòsit d'inventaris, cal recordar que hi ha una obra perduda de Metge que ens és coneguda només a través d'una llista de béns particulars (*Obras*, p. *39, nota 14). Es tracta del *Lucidari*, la memòria del qual fou rescatada per Madurell i Rubió a *Documentos para la historia de la imprenta y librería en Barcelona (1474-1553)* (Barcelona: 1955), p. 671. Vegeu també a *Obras*, p. *33 la presència de l'*Ovidi* en l'inventari dels béns del nét de Ramon Savall, amic de Bernat Metge, dreçat el 1488.

collita serà minsa; Joanot Martorell va ser capaç d'usar *Lo Somni* com a re-pertori mitològic.[13] Això fa pensar en la valoració esmentada d'un Ferran Valentí, que constata en Metge la presència d'uns certs materials literaris valuosos en versió vulgar. De la mateixa manera, la possible empremta de *Lo Somni* al *Sueño* en vers de Santillana, si fos indiscutible, seria una mos-tra més de la receptivitat dels lectors cultes del xv davant de les exhibi-cions de saber mitològic del secretari de Joan I.[14] Així, doncs, l'únic que sabem de cert és que Metge interessà diverses menes de lectors del Quatre-cents, que, bé o malament, trobaren en el seu *Somni* matèria i estil profito-sos, i van ser aquests lectors del Quatre-cents els qui van fer possible que els del Vuit-cents el donessin a l'estampa i els del Nou-cents — i mai més ben dit — el mitifiquessin.

III. SERMÓ

Com que la posteritat immediata ens és de tan poca ajuda per a detectar pistes interpretatives, no hi ha més remei que abordar directament la ma-tèria. Començarem pel *Sermó*, perquè és la primera obra en l'ordre esta-blert per Riquer i perquè ja Riquer va fer notar que «ofrece un programa que ... parece recordarnos algunos aspectos de la actitud de nuestro autor ante la vida».[15]

Proposem, doncs, de prendre en consideració el *Sermó* com un produc-

[13] Vegeu *Obras*, p. *198 i L. Nicolau d'Olwer, «Sobre les fonts catalanes del Ti-rant lo Blanch», *Revista de bibliografía catalana*, V (1905), 27-35.

[14] Vegeu *Obras*, ibid. i R. Lapesa, *La obra literaria del marqués de Santillana* (Ma-drid: 1957), pp. 122-5. Per al text del *Sueño* vegeu l'edició recent de Miguel Ángel Pé-rez Priego a Marqués de Santillana, *Poesías completas* (Madrid: 1983), vol. I, pp. 195-224; a la nota al v. 201 hom reporta l'opinió de Lapesa sobre la possible vinculació del Tirèsias del marquès, inclòs en una visió en somnis, amb el de Metge.

[15] *Obras*, p. *38. L'anàlisi del *Sermó* ocupa les pp. *35-*38. Vegeu l'article de M. Mitjà citat a la nota 2, p. 378: «El text d'aquests interrogatoris ... ens ofereix un pa-norama depriment, trist i miserable del regnat de Joan I i ens retrata ... la figura mo-ral dels qui el voltaven i l'aconsellaven»; i pp. 378 s.: «inoblidable estampa d'època, que més d'una vegada recorda aquell pintoresc recull que Miret i Sans aplegà sota el títol de *Sempre han tingut bec les oques*».

te literari portador d'una certa «filosofia» implícita, sense oblidar natural-
ment que es tracta d'una peça paròdica i, per tant, ja d'entrada condiciona-
da a ser un producte trivial i menor.[16] Tanmateix el caràcter lúdic del *Ser-*
mó no ha de fer-nos passar per alt la seva singularitat; singularitat que sem-
bla evident si llegim paraŀlelament el *Sermó* de Metge i altres textos més o
menys afins de la tradició medieval, catalana o no. Per començar, la nostra
peça parodia el sermó de tipus escolàstic, el qual, com és sabut i ens és re-
cordat per Riquer, consisteix en l'enunciat d'un tema, generalment bíblic,
que cal dur a la demostració final a través d'una sèrie de procediments re-
tòrics i dialèctics. Metge respecta aquest marc general: proposa un tema
de la seva collita (vv. 1-3), fa resar l'*Ave Maria* com era preceptiu (vv. 4-17),
desenrotlla el seu discurs (vv. 17-197) i acaba convidant l'auditori a un acte
de contrició (vv. 198-201). Abans d'aquesta darrera operació, però, insis-
teix en la coherència de l'estructura del seu sermó: «E, donchs, provat es
nostra tema» (v. 198). La paròdia consisteix en dues coses: el capgirament
teòric dels valors ètics del cristianisme i la transformació del desenrotlla-
ment de l'argumentació central del sermó en un enfilall d'acudits malin-
tencionats i desŀligats els uns dels altres que configuren un quadre bigarrat
d'actituds vitals normalment condemnades pels moralistes.

Parlarem tot seguit d'aquesta casuística de la disbauxa i de l'arribisme,
però abans voldríem comentar l'abast que té dintre de l'esquema demos-
tratiu d'un sermó escolàstic voler provar la següent proposició o tema:

> Segueixqua·l temps qui viure vol:
> si no, poria's trobar sol
> e menys d'argent
>
> (vv. 1-3)

Aquí s'anuncien negativament dos valors fonamentals per a la felicitat

---

[16] *Ibid.* Riquer estableix les comparances corresponents entre Metge, Eiximenis
i Sant Vicent Ferrer per a enquadrar el gènere paròdic al qual pertany el text del nos-
tre *Sermó* i fa notar justament el seu caràcter de joguina literària. Vegeu també *HLC*,
vol II, pp. 369 s.: val a dir que el *Sermó* és un joc literari intranscendent, per bé que
agut i enginyós, i restaria únicament dintre d'aquesta intranscendència si no fos
perquè Bernat Metge fou objecte de delacions i d'acusacions públiques que presen-
taven la seva conducta molt coincident amb els cínics consells d'aquesta obreta».

del viure: el contrari de trobar-se sol és gaudir d'amics (i presumiblement d'un lloc preeminent en la societat) i el contrari de no tenir diners, òbviament, és fer per manera d'obtenir-ne. Viure és, doncs, tenir amics i riquesa, la qual cosa exclou radicalment tota transcendència; com que no hi ha més vida que la dels amics i de les riqueses, cal «seguir el temps», és a dir aprofitar tota ocasió per a extreure'n un benefici. Això comporta rebentar per dintre l'ètica cristiana: «Si·l cor avetz plen de falsia / serets del temps» (vv. 50-51); «Consciencia no ajats / si volets viure» (vv. 32 s.). Hem recollit amb aquestes citacions tots els llocs on surten els mots *viure* i *temps*, els quals, com es pot veure, donen la clau del tema del *Sermó*. Com ja hem fet notar més amunt, Metge considerava *provat* aquest tema al v. 198 i això mecànicament el porta a dir les paraules rituals («axí·us port Deu / quan vos moretz, al regne seu / e·us guard de mal», vv. 199-201) que precedeixen l'acte de contrició. Sembla, doncs, que hi ha un més enllà que ens espera amb el corresponent premi o càstig per als homes, segons hagin estat bons o dolents: tot això de l'exaltació del *temps* i del *viure* ha estat una ximpleria retòrica per a fer riure, que es pot perllongar, si es vol, en una tergiversació irreverent del *Jo pecador* que acaba encara amb el *leitmotiv* de la riquesa i de les amistats interessades:

> Sobra tota res comportats
>   los homes richs
> e cels qui·s fan vostres amichs
>   quan ops vos han.
>
> (vv. 207-11)

Amb això Bernat Metge hauria arribat al límit del sacrilegi, parapetat darrera del recurs retòric del «món al revés» i dels seus derivats paròdics.[17]

---

[17] El joc conceptual en què es fonamenta el *Sermó*, en efecte, és sempre el mateix: afirmar el contrari de la veritat moral oficial. Qui vol viure (en sentit purament terrenal) que segueixi el temps (és a dir que oblidi que el temps d'aquest món és nores). D'aquí que tota la resta siguin preceptes al revés: no s'ha de fer almoina, no s'ha de tractar amb la dona casta, s'ha de robar, no s'han de pagar els deutes, etc. Retòricament podríem assimilar el recurs a l'*adynaton* o impossible, descrit, per exemple, al conegut llibre d'E. R. Curtius, *European Literature and Latin Middle Ages* (Princeton: 1967), p. 97. Les aplicacions de l'*adynaton* que reporta Curtius, però,

I el *Sermó* pot ser llegit així; és més, ha de ser llegit així, perquè la seva estructura global ens condueix a aquesta lectura. Tanmateix, els malintencionats que pretenem *seguir el temps* com l'autor ens ensenya no ens volem perdre l'ocasió d'assenyalar que els sis versos que precedeixen el 198, on es diu que el tema és provat i que Déu ens empari, de fet introdueixen — molt sibil·linament, això sí — la negació directa de la transcendència. Si Metge no hagués estat suspecte de no creure ni en el més enllà ni en la supervivència de l'ànima, no s'hauria molestat a escriure els llibres segon i tercer de *Lo Somni*, els quals, com veurem, demostren (i neguen alhora) allò que exposen. Els sis versos del *Sermó* ens diuen maliciosament, tot just abans de la conclusió retòrica del gènere homilètic que els correspon (els vv. 198-201 són els únics no paròdics del text!), la conclusió lògica del plantejament inicial (és a dir que si *viure* és *seguir el temps*, no hi ha realitat espiritual que valgui):

> Injuries fetz e tortz
> generalment,
> e puix aurets gran estement
> e bona fama,
> *e serets quiti de la flama*
> *qu'en infern crema.*
>
> (vv. 192-97)

---

poc tenen a veure amb l'esperit del *Sermó* de Metge, el qual ens evoca més aviat el «món al revés» propi de la gresca carnavalesca per la seva tendència a subvertir l'ordre establert. No hi ha res, tanmateix, en el text que sigui assimilable al to de les follies de la *navicula stultorum* i derivats; tot hi és massa racional i seriós, fins i tot tenen un aire sentenciós les frases que aconsellen explícitament de fer-se el boig, perquè també això és vist com un procediment per a sortir-hi guanyant: «James no farets la gent riure / si no sots nici» (vv. 35-36) i «Ab l'om qui aja lo bech groch / fets companyia; / e si bella muller avia...» (vv. 58-60). Recordem també que en l'ambient de la poesia trobadoresca i «de cancionero» contemporània de Metge, els jocs retòrics de l'antítesi tenen un èxit desmesurat, ja que permeten d'expressar a través de negacions, paradoxes, parelles d'opòsits i altres recursos variats no solament les contradiccions de l'amor, sinó també les del sentit general del viure. Vegeu el comentari al poema «Tots jorns aprench e desaprench ensemps» de Jordi de Sant Jordi a l'edició a cura de Martí de Riquer i Lola Badia (València: 1984), pp. 219-29.

El subratllat, que és nostre, vol posar en relleu que la negació, per molt circumstanciada que sigui, de la pena de l'infern per al qui comet injúries i triomfa, representa l'expressió clara i neta de la idea que l'únic bé possible és el gaudi terrenal individualment aconseguit i amb perjudici del proïsme. Metge ens fa arribar aquest missatge joguinosament i ambigua, de tal manera que hi ha tants atenuants retòrics (que si estem llegint una paròdia, que si no ens hem de prendre seriosament les trivialitats, que si no val la pena d'entretenir-se amb certes ximpleries versificades), que de fet el missatge gairebé s'esmuny. Justament és el que tractava de demostrar: que Metge sap ser retòricament ambigu, bifront. La cara ortodoxa és la que ens és donada per una primera lectura dels textos, ajustada a les normes del joc retòric i compositiu; l'oculta és la que ens somriu de vegades, sense ni tan sols comprometre's amb el seu somriure, segons com fem incidir la llum en el dibuix maliciosament estudiat del text.

Parlem ara dels famosos consells cínics del *Sermó*. Per començar, que *viure* sigui *seguir el temps* és la negació de l'omnipresent tema cristià del menyspreu del món, base i fonament de l'ètica del renunciament al gaudi terrenal a l'espera d'una realitat millor, i la negació encoberta de les penes de l'infern que acabem de subratllar, un al·legat contra la meditació de la mort, un altre dels pilars sobre els quals descansa la reflexió cristiana respecte a la conducta humana. Després d'això, ens sembla que el desvergonyiment de la casuística ja esmentada, per pujat de to que sigui, no pot competir en intensitat amb la ben calculada tergiversació dels puntals teòrics que l'emmarquen: ve a ser tan sols, com d'altra banda requereix l'art de predicar, una brillant exemplificació. Els temes són: 1) com aconseguir riqueses i honors per tots els mitjans; 2) com gaudir dels plaers de la carn i anecdòticament del ventre i com treure profit d'aquest gaudi; 3) com cultivar la simulació i com trair l'amistat i la bona fe, que sempre fa nosa; 4) com evitar que els preceptes de l'Església interfereixin en tots aquests propòsits. L'ordre d'aquesta classificació respon al que ens ha semblat la major intensitat i la major insistència dels motius aïllables dins de cada tema.[18] Els temes

[18] Al tema 1) corresponen les frases que comencen als versos 18, 24, 30, 40, 44, 46, 86, 104, 114, 124, 127, 134, 140, 182, 192, 208; al tema 2) les que comencen als 26, 54, 56, 58, 66, 70, 78, 88, 96, 102, 104, 124, 136, 142, 151, 152, 156, 170, 170, 176, 182, 186 i també 22, i 24; al tema 3) les que comencen als 18, 20, 32, 36, 39, 48, 50, 52, 76, 82, 90, 92, 94, 114, 116, 118, 130, 132, 140, 166, 188, 190, 192, 197, 204, 206, 208 i també 34 i 58; al

creiem que són prou significatius a l'hora de confeccionar — suposant que tot això pogués ser pres seriosament — un model de comportament: semblen els consells del llibret privat de notes de la perversa Madame de Merteuil de *Les liasons dangereuses!* Procurant de no practicar anacronismes gratuïts, els paral·lels cal anar-los a buscar òbviament en textos medievals com ara els *fabliaux* o certs productes goliàrdics més que no pas en l'ingenuíssim *Sermó del bisbetó* de la nostra tradició paralitúrgica que, tot i ser també un sermó paròdic en vulgar, està molt lluny d'insinuar perillosos programes de vida que subreptíciament posen en entredit l'edifici de la filosofia moral cristiana.[19]

Tornem així al discurs ja enunciat sobre la singularitat del *Sermó*. Entre els textos catalans medievals en vers i en prosa dels segles xiv i xv que coneixem, no n'hi ha cap que ens el recordi tan de prop com aquell ben

---

tema 4) les que comencen als 4, 94, 156, 198. Pel que fa a aquest darrer apartat, proposem de comparar els vv. 94-95 «Si en monestir privadegats / tot es finat» amb l'actitud d'Evast i Aloma al *Blanquerna* de Ramon Llull. També cal fer notar la varietat de malifetes d'ordre sexual que Metge ens conta, des del canvi de parelles (102), a la prostitució propiciada pel marit (186), als tripijocs per amagar la virginitat perduda (156), al consell d'excusar les sortides nocturnes de les mullers (176). Aflora en tot això en esquema un complex quadre de costums de la societat urbana de la baixa edat mitjana.

[19] Riquer ens suggereix la comparació a la p. 13 d'*Obras*. Vegeu l'edició de Faraudo a *Recull de textos catalans antics*, vol. III. (Barcelona: 1910) i *HLC*, vol. II, pp. 78-84. La codolada del *Sermó del bisbetó* i la paròdia homilètica que comporta fa que hàgim de reconèixer que pertany al mateix subgènere que el *Sermó* de Bernat Metge. Ja veurem, però, que un dels usos fonamentals que fa el secretari de Joan I de la literatura és el de posar-la al servei dels seus interessos particulars i inconfessables. No ha de sorprendre, doncs, que el *Sermó* de Metge estigui també al servei de les seves idees inconfessables sobre la realitat (vegeu nota 29). A propòsit de sermons en vulgar d'ambient català medieval, cal advertir que, a part dels pròpiament dits de Sant Vicent Ferrer i Felip de Malla, existeixen peces narratives en vers occità (o més o menys occità), dites *sermó*, de Cerverí i de Ramon Muntaner (vegeu respectivament *HLC*, vol. I, pp. 151 i 462); si els primers són el model positiu de la nostra composició, les segones no hi tenen res a veure; com tampoc no hi té res a veure una peça bastant posterior i encara inèdita com és el *Sermó d'amor* de Francesc Alegre (*HLC*, vol. III, p. 249), que hem llegit gràcies als bons oficis del col·lega Pedro M. Cátedra, que en té promesos de fa temps l'edició i l'estudi.

travat i jocós diàleg que es coneix amb el nom de la *Disputació d'en Buch ab son cavall*,[20] a banda d'al·lusions passatgeres de relats com el *Testament d'en Bernat Serradell* o el *Libre de fra Bernat*,[21] obres que, de fet, obren la porta a tota la literatura més o menys burlesca i satírica haguda i per haver, des del *Roman de Renard* al *Libro de buen amor*, passant per les atrocitats versificades de messer Cecco Angiolieri.[22] Si ens cenyim a en Buch i companyia és perquè no ens interessa, com s'haurà vist, de resseguir l'anecdotari del triomf de les conductes anticristianes amb les seves possibles fonts i interferències, sinó de besllumar en textos vulgars culturalment propers al nostre, el rastre d'una «filosofia» implícita que li sigui comparable.

[20] *HLC*, vol. II, pp. 84-8. Edicions de Faraudo, *Recull de textos catalans antics*, vol. III (Barcelona: 1910) i de Foerster, *ZfrP*, I (1877), 78-88. Citem pel text de Faraudo.

[21] Citem aquestes peces perquè són en vers i perquè tenen una cuina literària que permet d'atribuir malícia als seus autors. Vegeu les edicions d'A. Pacheco respectivament a *El testament de Bernat Serradell de Vic* (Barcelona: 1971) i Francesc de la Via, *Obres*, vol. II (Barcelona: 1968), pp. 33-115. Vegeu també A. Pagès, «Le fabliau en Catalogne», *EUC*, XIV (1929), 311-22.

[22] I així entrem en l'àmbit d'allò que a Itàlia en diuen «letteratura realistica», és a dir, literatura escrita des de l'experiència de la nova vida urbana de les ciutats medievals que, per la temàtica o per la intenció, esdevé sovint testimoni dels problemes que es planteja l'individu que s'ha de consolidar en aquest tipus de societat on el diner ha esdevingut el motor de l'economia; vegeu el final de la nota 18. Pel que fa als paral·lelismes que es poden establir entre l'actitud del nostre *Sermó* i alguns trets d'obres d'aquesta mena, proposem, com a mostra, la comparació amb una famosa sortida del pròleg del *Libro de buen amor* — un sermó culte paròdic en prosa —; l'arxiprest afirma que el seu llibre pot ensenyar a fer el bé per la via d'evitar el mal present en les coses que ens conta, tanmateix, «por que es humanal cosa el peccar, si algunos, lo que non los conssejo, quisieren usar del loco amor, aquí fallaran algunas maneras para ello» (Arcipreste de Hita, *Libro de buen amor*, edición crítica de M. Criado de Val y E. W. Naylor, Madrid: 1972, p. 6). A. Deyermond mostra la seva perplexitat davant d'aquests mots i remet a tot un tou de bibliografia que la justifica (*Historia de la literatura española: 1. La edad media*, Barcelona: 1973, p. 192). L'arxiprest vol i dol i, de fet, presentant-nos un text ambigu on la ironia i la paròdia neguen connotativament el que literalment afirmen, s'acosta bastant a la «natura d'anguila». De tota manera el *Libro de buen amor* (1330?-1343?) no fa el mateix paper al costat del *Sermó* que al costat de *Lo Somni*; ens referim naturalment als referents literaris.

Els 383 octosíl·labs apariats de la *Disputació d'en Buch ab son cavall* en cap cas no evoquen la «llibertat de pensament», com diu justament Riquer.[23] El cavall-confessor encarna l'ortodòxia cristiana davant del seu amo, en Buch, una curiosa mena de cavaller-bandit que detesta el treball i que, en certa manera, s'ajusta a la figura del lladre feliç al marge de la llei. El cinisme d'en Buch és bastant primari i la seva capacitat de construir sofismes és tan limitada que no arriba a immutar el seu improvisat confessor:

> —No sabets nuyla oracio?
> —No, cavall, si Deus me perdo.
> —E com avets viscut axi?
> —De pa e de carn e de vi.
> —Hoc, mas yo us dic de pregar Deu.[24]

El doble sentit del mot *viure* ens pot fer pensar en una de les paraules clau del tema del *Sermó* de Metge, però cal llegir atentament tot el text per a adonar-se que la *vis comica* domina i que no hi ha segones intencions. Com el Serrallonga maragallià,[25] en Buch sap que ha transgredit una llei objectivament vàlida; es confessa i es penedeix formalment, però es resisteix a fer un acte de contrició autèntic perquè el seu aferrissament als valors mundanals és tan fort, que prefereix condemnar-se abans de renunciar-hi («no vull star en paradis / car no·m asalta son pais», vv. 328-29). Enlloc no es posa en entredit cap principi fonamental de la fe; el mateix final, tan irreverent, on es dóna per vàlid el testament moral d'en Buch, que acaba de negar-se a anar al cel per pura voluntat de perseverança en el pecat, no deixa de ser una ironia del tema del *memento mori*, perfectament explicable com a broma de sagristia una mica *osée*.[26] La *Disputació d'en Buch*

[23] *HLC*, vol. II, p. 87.
[24] Edició Faraudo, citada a la nota 20, vv. 263-67, p. 18.
[25] El poema «La fi d'en Serrallonga» de *Visions i Cants* (1900), vegeu Joan Maragall, *Poesies* (Barcelona: 1947), pp. 188-94, és sorprenentment afí a la nostra *Disputació*. Serrallonga també es penedeix formalment davant del seu confessor, però acaba amb allò de «crec en la resurrecció de la carn». L'única diferència és que l'autor medieval riu allà on el romàntic vibra d'emoció.
[26] Vegeu el lloc citat a la nota 23, pp. 87 s.

ab son cavall és, doncs, una jocosa paròdia de la confessió, que presenta amb certa simpatia el programa «vitalista» d'un cavaller-bandit:

> ... No·m par que siatz cristia.
> E dix en Buch: —A mi que·m fa?
> Vulles christia o jueu,
> pur en Bernat dez Buch suy eu,
> en ayço no fas forsa gran.
> Deus me do pa e vi e carn,
> e que trob roba que emblar.[27]

La irreductibilitat de la conducta d'en Buch, però, no deixa de ser un fet aïllat i curiós que, d'altra banda, ens és presentat amb un judici moral inapel·lable incorporat (en Buch vol que la seva ànima vagi al Mongibell, v. 321). El to genèric i impersonal alhora del *Sermó* de Metge en aquest sentit pot ser responsable de la lectura nihilista que hem apuntat més amunt, com també el caràcter sentenciós que adquireix pel fet de presentar una estructura dialèctica encaminada a la demostració d'una proposició.

L'impuls de trobar altres testimonis medievals on apuntin actituds descregudes comparables en malícia a les del *Sermó* de Metge ens ha portat als textos clàssics de la paròdia llatina medieval tractats en el conegut llibre de Paul Lehman.[28] Ja sabem que la superficialitat de les nostres recerques no ens permet de donar-los valor probatori; que serveixin almenys com a punt de contrast per a obrir la discussió del problema. La cacera d'irreverències i sacrilegis amb aspiració larvada al nihilisme, o almenys a la negació de la transcendència, ens ha deixat amb la convicció provisional que, si més no en el camp de la literatura, el text de Metge és prou singular. Ni les múltiples protestes de la clerecia davant de la imposició del celibat, que intenten de demostrar la impossibilitat material d'obeir un precepte tan «antinatural»; ni els més agosarats escrits de paròdia sagrada,

---

[27] Edició Faraudo, citada a la nota 20, vv. 295-301. Al v. 298 llegim «Bernat dez Buch» tal com suggereix Riquer a *HLC*, vol. I, p. 85, corregint les males lectures de Foerster i Faraudo.

[28] *Die Parodie im Mittelalter* (Munic: 1922; segona edició, augmentada, Stuttgart: 1963).

del *sermo lusorius* a la missa de Bacus i a l'evangeli segons sant marc d'argent,[29] que produeixen efectes exhilarants a través de la manipulació jocosa de textos litúrgics, escripturístics o patrístics, no hem sabut trobar que arribin a insinuar brutalment, com Metge ho fa, la negació de la transcendència. Per sagnant que sigui la ironia present en un text que proclama: «Unde dicit Vergilius in Canticis Canticorum: si videris fratrem tuum necesse habere, erue ei oculum, et proice abs te. Et si perseverat pulsans, erue ei alterum»,[30] no ens sembla dictada per una voluntat de fer avinent des de l'ombra i amb tota consciència un missatge tan rotund com el del nostre *Sermó*, el qual apunta directament al blanc: «segueixqua·l temps qui viure vol ... e seretz quiti de la flama / qu'en infern crema. / E donchs provat és nostre tema».

Per a retreure una obra que Metge coneixia a bastament i que va saquejar a fons, com és sobradament sabut, acabarem de caracteritzar el *Sermó* dient que els consells cínics que en constitueixen la polpa literària i que hem classificat més amunt corresponen amb sorprenent exactitud als trets

---

[29] Seguint la tònica de les notes 23 i 28 citarem alguns exemples significatius. Vegeu, doncs, la protesta de l'Arxipoeta: «Res est arduissima / vincere naturam / in aspectu virginis / mentem esse puram; / iuvenes non possumus / legem sequi duram / leviumque corporum / non habere curam», CB 191, estrofa 7 (*Carmina Burana*, edició Hilka-Schumann, vol. I, 3 (Heidelberg: 1970), p. 6). A part de l'assaig citat a la nota anterior, per als textos paròdics, vegeu Eero Ilvonen, *Parodie des thèmes pieux dans la poésie française du moyen âge* (Helsingfors: 1914; reprint, Ginebra: 1975). L'originalitat de Metge, ja l'hem justificada a la nota 19 en relació amb el context vulgar; pel que fa al llatí no cal insistir-hi. Encara que no entri en els nostres propòsits comparar Metge amb el futur literari europeu, ens veiem obligats a consignar que l'actitud crítica demolidora del nostre autor, per a la qual no sabem trobar paral·lels anteriors o coetanis, presenta una forta analogia amb l'esperit de l'obra de Francesc Rabelais, amb qui el nostre autor té més de dos punts en comú. Vegeu el conegut llibre de Lucien Fevre, *Le Problème de l'incroyance au XVIe siècle. La religion de Rabelais* (París: 1942). Vegeu també, Sander L. Gilman, *The Parodic Sermon in European Perspective* (Wiesbaden: 1974) Remeto, però, a l'apartat 2 dels «Addenda».

[30] La frase pertany a un *sermó lusorius* sobre el no-res que és molt a prop del joc dels disbarats i de la *fatrasie*, la *Lectio Danielis prophetae*, parenta del *Sermo de Nihil*, que es pot llegir a l'*Anzeiger für Kunde der deutschen Vorzeit*, XV (1868), 10. El desfermament imaginatiu d'aquests textos destinats a trinxar la *sacra pagina* no té la causticitat de Metge.

més sobresortints de la norma de vida que condemnà, si més no al purga-
tori, el difunt que s'apareix al protagonista del *Corbaccio* de Giovanni Boc-
caccio. Dues coses l'han condemnat, diu l'ànima en pena, «l'una è lo 'nsa-
ziabile ardore il quale io ebbi de' danari mentre io vissi; e l'altra è la scon-
venevole pazienza colla quale io comportai le scellerate e disoneste ma-
niere di colei la qual tu vorresti d'aver veduta esser digiuno».[31] L'únic mo-
tiu que podia portar Metge a alliberar de la seva túnica de foc l'ànima de
l'aparegut («...sappi che questo mio vestimento ... è un fuoco dalla divina
arte composto, sí fieramente cocente...»)[32] era apagant-lo per la via més di-
recta: ni robar ni fer d'alcavot de la pròpia dona no serà motiu de guanyar-
se el foc de l'infern, si no hi ha condemnació possible.

IV. ASPECTES DE LA MEDECINA, L'OVIDI, EL LIBRE DE FORTUNA E
PRUDÈNCIA I EL VALTER E GRISELDA

La lectura del *Sermó* que hem proposat hauria d'haver mostrat que Metge
jugava amb foc en el doble sentit de l'expressió; retrobarem l'actitud des-
enrotllada més agosaradament i críptica a *Lo Somni*. Abans d'enfrontar-
nos amb la seva obra mestra, però, bé caldrà dir alguna cosa dels altres es-
crits seus que coneixem i que dividirem en dos grups: les joguines, és a dir,
la *Medecina* i l'*Ovidi*, i els textos on la literatura esdevé palinòdia, autojus-
tificació o defensa pròpia, és a dir el *Libre de Fortuna e Prudència* i el *Valter e
Griselda*.
El manuscrit 831 de la Biblioteca de Catalunya és l'únic i poc fidel[33] tes-
timoni que tenim de la més lúdica i intranscendent de les obres de Bernat
Metge: *La medessina feta per en Bernat Metge apropiada a tot mal*, la qual,

---

[31] Giovanni Boccaccio, *Opere* (Milà: 1966), p. 1199. A propòsit del primer punt
recordem allò d'«haver no porets vallor granda / si no robats» (vv. 30-31) i, del se-
gon, «lo marit deu pintar la dona / e fer lo lit» (vv. 185-6).
[32] *Ibid.*
[33] Vegeu les notes de Riquer a les pp. 17-23 d'*Obras*; hom pot comprovar, per
exemple, que el v. 62 «pans de mares» és inintelligible i que el final sembla mal co-
piat. Cal afegir la presència de mots estrafets pel mateix autor per fer la burla del
llenguatge dels especiers. Vegeu nota 37.

com el *Sermó*, pertany també al món de la paròdia. La naturalesa del text parodiat, una recepta mèdica amb uns consells d'higiene, lleva mordent a la composició del nostre autor. Malgrat tot, Metge, nascut al carrer dels Especiers de Barcelona, no s'està de fer la burla de l'ofici que permeté al seu pare no solament de guanyar-se la vida, sinó també d'entrar en contacte amb la cort reial i amb Joan I infant, com és ben sabut;[34] hom diria que el nostre escriptor sent una particular atracció pels temes relliscosos. A la *Medecina*, a més, Metge en tracta d'altres, de temes candidats a ser conflictius: l'al·lusió a la circumstància del seu empresonament, descrita amb una despreocupació esclatant; la confiança en la felicitat que Déu té preparada per a ell i per al destinatari del text que escriu, tots dos implicats en el procés del 1396; i, per què no, la «delectació morosa» en l'evocació de les tendres i apetitoses filles d'un seu amic barceloní.[35]

Com justament assenyala Riquer, la *Medecina* és una obra que és fàcil d'imaginar escrita a la presó perquè, contràriament a totes les altres de Metge, llevat del *Sermó*, no és un exercici de traducció i d'encaix treballat de fonts diverses. Tanmateix, pel mer fet de ser una paròdia, la *Medecina* i el *Sermó* pressuposen altres textos previs, és a dir receptes, regiments de sanitat o homilies, almenys en versió formulària; aquesta és una constant de Metge, la de concebre les seves obres a partir de materials preexistents manipulats i reciclats de forma variada. En el cas de la *Medecina*, Metge combina la carta en vers amb el lletovari d'amor en «contrafacta realista»[36] i això li permet de fer tot d'acudits a base d'una terminologia

---

[34] Vegeu *Obras*, pp. *11-*13.

[35] Metge i el seu amic Bernat no es poden trobar per conversar tranquil·lament i contar-se acudits (vv. 6-9) perquè l'un és a la presó i l'altre no hi és perquè està malalt i no el pot anar a veure (vv. 21-2). La circumstància no sembla gaire amenaçadora perquè pot ser resumida amb una sortida irònica: «Vos e yo quatre peus avem, / mas no·ns en podem molt servir» (vv. 10-11). Metge està molt segur que aviat podrà riure amb el seu homònim perquè Déu voldrà triar «lo millor» per a ells (vv. 16-7) i, d'altra banda, «no·s dura / res al mon perpetualment» (vv. 14-5). Les severes mesures dels consellers de la nova reina Maria no li fan ni pessigolles a Bernat Metge. Vegeu *Obras*, pp. *113-*126. Pel que fa a les filles cobejables, vegeu vv. 102-11.

[36] Riquer remet als lletovaris d'amor de fra Basset i Lluís Icart a la nota 6 de la p. *128 d'*Obras*. El text del primer lletovari esmentat és publicat a Joaquim Molas , «Un poema inèdit de Lluís Icart», *Miscel·lània Aramon i Serra*, vol. IV (Barcelona:

tècnica a estones falsa[37] i de l'evocació d'uns personatges del seu entorn immediat que són per a nosaltres més o menys enigmàtics.[38] De fet la *Medecina* té sentit només pensant que ha estat escrita per a uns lectors molt especials: els amics personals de l'autor de l'estil del suposat Bernat Margarit a qui Riquer creu que va adreçada.[39] Aquest públic selecte que Metge té al cap cal suposar que és el mateix que estava disposat a apreciar les significatives ambigüitats del *Sermó*; un públic que més endavant, a *Lo Somni*, caldrà redimir juntament amb el mateix autor de la pregona ignorància que mostra de les coses divines i humanes relacionades amb el món de l'esperit.[40] La reincidència de Metge en el gènere paròdia — un gènere plausiblement agradable per al seu auditori — sembla venir-nos a dir que aquesta fórmula retòrica d'imitació burlesca li permetia d'expressar amb certa llibertat opinions més o menys heterodoxes o molestes, altrament destina-

---

1984), pp. 131-47. El segon es pot llegir a l'edició de Pere Bohigas, «El letovari de fra Joan Basset», Miscel·lània Aramon i Serra, vol. III. (Barcelona: 1983), pp. 31-7. Per a tots dos textos, vegeu també J. Massó i Torrents, *Repertori de l'antiga literatura catalana: I. La poesia* (Barcelona: 1932), pp. 411-15 i *HLC*, vol. I, pp. 638 i 643-6. La *Medecina* té una entrada que recorda un començament epistolar: «De vostra salut he desig, / Mossen Bernat», i acaba amb una vaga fórmula de comiat (vv. 124-5).

[37] Sobretot als vv. 37-63 on apareixen el «badall d'estornell» i el «fum de palla remullada» al costat d'invents còmics com el «besturri», el «baquiqueu» o el «tararat». També són misterioses les «lagremes de Daviu» del v. 60; vegeu Germà Colon, «"Con lágrimas de Moysén / encantan las orejas": estrofa 438 del *Libro de Buen Amor*», *RFE*, LIII (1970), 293-304.

[38] Malgrat les identificacions de Riquer en la nota a la p. *129, és impossible d'esbrinar quina gràcia té que en Bernat Oriol presti a algú una gramalla blanca (vv. 64-5) o que mestre Germà, precisament, doni a algú un tros de gramalla groga (vv. 68-9). Tampoc no sabem qui s'amaga al darrera d'en Pere Rabeu que ha de dir missa en dejú (vv. 95-8), ni d'en Rubert, el pare de les filles ja al·ludides. Només sabem que, contràriament a Metge, «no s'es gran legidor» (v. 101).

[39] Vegeu *Obras*, p. *127.

[40] Recordem que al final del segon llibre de *Lo Somni* Joan I diu a Bernat Metge: «Una cosa solament vull de tu: que res que a present hages vist o oÿt no tengues celat a mos amichs e servidors, car ... on ne seguirà gran profit, e specialment per tal com seran certs de moltas cosas en què no solament alguns d'ells dupten, mas la major part dels hòmens, e signantment ignorants, dels quals és gran multitud en lo món», p. 252.

des a ser callades. En el nostre cas tals opinions se centren, com ja hem apuntat més amunt, en el menyspreu per l'empresonament i en l'orgullosa confiança en l'alliberament proper (vv. 1-17 i 124-25) i, com a teló de fons, en la burla de l'ofici d'especiers i metges, que són vistos com a éssers grotescos que confegeixen receptes a base de productes extravagants i proposen plans de vida higiènics que bé poden ser interpretats des d'un cert costumisme amb vocació de felicitat, costumisme que ha deixat de ser militantment desvergonyit (en relació amb *Sermó*) i ha esdevingut només genuïnament urbà i barceloní:

> E pux anats burlar al Born
> si·us vollets anar deportar;
> car aquí porets prou trufar
> ab molt bon hom qui hich es pobblat.
>
> (vv. 118-121)

No tenim cap mena de dubte que algunes de les *trufes* que feien riure els *bons homs* que s'*anaven deportar* pel Born feien referència al comerç carnal entre home i dona. Per això mateix tampoc no costa gens d'imaginar que l'altra obra de Metge que ens ha arribat només per la via del manuscrit 831 de la Biblioteca de Catalunya, *Com se comportà Ovidi essent enamorat*, anava dirigida a solaçar el mateix públic d'amics de Bernat Metge que podien apreciar el *Sermó* i la *Medecina*: el públic que explica l'existència d'un manuscrit amb el contingut del que estem citant i que, com el mateix autor que ens ocupa, se «solia molt adelitar» en les obres «del mestre de amor, Ovidi» (*Valter e Griselda*, p. 118, 15-16). Darrera de la versió del *De vetula* de Metge[41] hi ha també una certa actitud paròdica que el nostre escriptor

---

[41] Vegeu a la p. *32 d'*Obras* la identificació de l'original de Metge i l'atribució dubtosa a Richard de Fournival. Existeixen dues edicions modernes del *De vetula*: *Pseudo-Ovidius, De vetula*, ed. P. Klopsch (Leiden i Colònia: 1967), i *The Pseudo-Ovidian De Vetula*, ed. D. M. Robathan (Amsterdam: 1968). Pel que fa a la relació d'aquest llarg poema amb la tradició occidental de l'amor i amb Boccaccio, vegeu F. Bruni, «Dal *De vetula* al *Corbaccio*: L'idea d'amore e i due tempi dell'intellettuale», *Medioevo Romanzo*, I (1974), 1-216. La misogínia boccaccesca sembla estar emparentada amb la de l'anònim llatí del XIII, la qual cosa situa els interessos literaris de Metge molt a prop dels del seu contradictor a *Lo Somni* (vegeu nota 71).

manlleva naturalment a l'anònim autor del poema pseudo-ovidià del segle XIII que anostra. Lluny de ser una tensió espiritual ennoblidora, l'amor és una passió sensual encaminada a la consecució d'un plaer, segons que ensenya l'*Ars amandi*. El text traduït per Metge ens planteja les coses justament així: quines possibilitats té un home d'aconseguir aquest plaer que li ve de la dona? No són el desinterès i la donació heroica, els ingredients d'aquest amor, sinó l'astúcia i la capacitat d'aprofitament, i per això la conquesta de la donzella idealitzable fracassa i triomfa, en canvi, el comerç carnal amb la vella, que és una solució més pràctica. Davant de la tria entre amor de donzella i amor de vella, Metge ja ens ha advertit al *Sermó* que no s'ha de rebutjar la segona alternativa per prejudicis idealistes:

> No menyspreets la dona vella
>   puix sia lissa,
> majorment si entenen la guissa
>   de l'arrear.
>
>   (vv. 152-154)

El tema té la seva força polèmica a causa de les condemnes omnipresents que tothom sap que feien els moralistes de la cosmètica femenina.[42] Defensar la vella que es fa agradable als ulls del baró mitjançant les arts de l'embelliment artificial no deixa de ser, doncs, una sortida de to, i el protagonista de l'*Ovidi enamorat* demostra a través del seu *exemplum* un xic grotesc la validesa d'aquesta defensa que ens proposa el món capgirat del *Sermó*. Diríem, doncs, que la primera obra artística en prosa de Bernat Metge, una traducció, no ho oblidem, no s'aparta del clima present en les altres dues que hem comentat i amb independència de la seva cronologia relativa.[43]

---

[42] Basta veure Eiximenis, *Lo libre de les dones*, ed. F. Naccarato i d'altres (Barcelona: 1981), vol. I, pp. 44 i ss.: «Quant mal fa la dona ornar-se vanament». El vescomte de Perellós, que ens vol fer creure al seu *Viatge al purgatori de sant Patrici* que ha anat a l'infern, ens conta que la seva neboda s'hi troba condemnada «per les pintures e emblanquiments que havia feits en sa cara quant vivia», ed. A. Pacheco, *Viatges a l'altre món* (Barcelona: 1973), p. 45.

[43] No sabem de quan són el *Sermó* ni l'*Ovidi*, però els suposem d'abans del 1388 (vegeu *Obras*, pp. *32-*39). La *Medecina*, en canvi, és escrita entre els darrers dies de juliol del 1396 i el maig del 1397, dates extremes de l'empresonament de Metge (vegeu *Obras*, pp. *124-*125).

El que tenen en comú és l'esperit faceciós i el gust polèmic per parlar de comportaments prohibits sense acabar de condemnar-los ni de lloar-los. Ovidi satisfà la seva recerca de plaer però a costa de sofrir un doble desengany, primer per la trampa de la mitjancera que substitueix la donzella al llit, després per l'envelliment de la idealitzada *partenaire* inicial finalment aconseguida. En aquest cas l'amor de les velles, digui el que digui Metge, no és una sortida airosa de la recerca de plaer; com a mínim la solució és moralment discutible des de sempre:

> Par ces raisons e par semblables
> nous vient faire Ovide creables
> que mieux vaut les vieilles atrere
> que de jeune s'amie faire;
> mes sauve soit sa reverence,
> pas m'acorde a sa sentence.

La *Clef d'amours*, adaptació francesa anònima del segle XIII de l'*Ars amandi*, dissenteix respectuosament del mestre, perquè en l'amor de la vella hi ha desig de guany en lloc de donació desinteressada:

> mes tel amour, qui bien l'avise,
> n'est pas amour, mes conveitise;
> amour qui les fins cuers enlie
> vien but a but sans simonie.[44]

Heus ací què és el que també fa sospitós l'amor de les velles, la seva incompatibilitat amb l'amor dels *fins cuers*, la *fina amor* dels trobadors, de la qual, d'altra banda, Metge no devia fer gaire cabal si no s'estava de dir que

> ... ignorant suy del stil
> dels trobadors del saber gay.[45]

---

44 Els versos procedeixen del vol. XXXIX de l'*Histoire littéraire de la France*, pp. 465 s. L'autor anònim protesta cortesament contra els dístics ovidians: «Haec bona non primae tribuit natura iuventae, / quae cito post septem lustra venire solent. / Qui properant, nova musta bibant; mihi fundat avitum / consulibus priscis condita testa merum!» (*Ars amandi*, II, vv. 693-6).

45 *Libre de Fortuna e Prudència*, vv. 24-5, p. 27. Vegeu l'article de Bruni citat a la

En qualsevol cas cal tenir present que el tema de l'amor de les dones és el tercer gran tema de *Lo Somni* i, si allí hi ha més riquesa de matisos, és a causa també, com veurem, d'una actitud polèmica que porta Metge a rebatre Boccaccio, que parla per boca de Tirèsias, i a intentar una circumstanciada rehabilitació del gènere femení, que té més a veure amb la literatura sobre les dones produïda en vulgar i en llatí al segle XIV que no pas amb les dones mateixes.

Passant a la consideració de les dues obres menors completes i datades de Metge que ens queden per examinar, el *Libre de Fortuna e Prudència* (1381) i el *Valter e Griselda* (1388), la primera cosa que salta a la vista és la presència d'una ambició artística més sòlida. D'altra banda, totes dues obres responen al mateix propòsit, convèncer algú o alguns de la integral innocència i bona fe d'un jo empíric i real que es diu Bernat Metge; i això s'ha d'aconseguir gràcies a uns certs discursos literaris que pretenen d'emmirallar-se en els models més prestigiosos a l'abast. El 1381 aquests models eren el poema al·legòric de tradició francesa i el 1388 l'ornamentada prosa pre-humanística de Boccaccio i de Petrarca. No pretenem d'analitzar ara, com ja s'ha anunciat més amunt, el sentit històric d'aquest canvi de models (llegiu la famosa arribada de Petrarca a les riberes ibèriques unànime-

---

nota 41: el *De vetula* és escrit en el clima de desengany de l'*amor cortès* que es difon a Europa a la segona meitat del XIII i que porta tant a la recerca d'una superació platònico-mística de l'amor humà (*dolce stil nuovo*), com a la condemna de l'heterodòxia (disposicions d'Étienne Tempier de 1270), i a l'expansió misògina, que carrega sobre la femella humana el fracàs dels ideals amorosos dels trobadors del XII. A aquest propòsit és inevitable de recordar que Metge és l'autor de la carta datada a Perpinyà el 19 de febrer de 1396 en què el rei Joan incita els consellers de Barcelona a la celebració de la festa de la Gaia Ciència, «la qual poden convenientment saber homes il·lustrats e en aquella adelitar-se e moltes vegades aconseguir-ne profit, car és fundada en rectòria, per la qual, mesclada ab saviesa (car en altra manera fort poc val), s'haja seguit gran honor profit a moltes universitats e persones singulars en lo món, segons que els libres historials testifiquen e experiència cada jorn ho mostra» (vegeu A. Rubió i Lluch, *Documents per a l'estudi de la cultura catalana mig-eval* (Barcelona: 1908), vol. I, p. 384). La retòrica i la saviesa són profitoses, doncs, però val la pena de notar que una mica més amunt el text de la carta adverteix que el gran avantatge de certes ciències és que són barates, que permeten d'aconseguir coses «profitoses e plasents», «sens messió e treball». Recordem la mala disposició econòmica del Consell de Cent barceloní i la ironia de Metge a propòsit d'això.

ment celebrada amb bombo i platerets) ni tampoc, de moment, el valor del pas d'un infame vers pseudo-occità a una prosa catalana d'art sàviament construïda i increïblement moderna;[46] ens acontentarem reflexionant sobre el jo que parla en aquests textos i, de retruc, sobre la concepció de la literatura com a autojustificació.

Si el *Sermó* se'ns ofereix de forma impersonal (el possessiu *nostre* dels vv. 5 i 198 té un valor gairebé només deíctic), tant la *Medecina* com l'*Ovidi* pertanyen al món de la literatura en primera persona. Es tracta, tanmateix, de dues versions molt diferents d'aquest recurs retòrico-gramatical. Qui diu *jo* a la *Medecina* és el Bernat Metge històric que està realment empresonat (i es pren l'empresonament amb una total tranquil·litat); qui diu *jo* a l'*Ovidi* és un personatge de ficció, el protagonista d'una història exemplar que, si es confon amb l'autor real, és només en virtut del nom que porta. El jo empíric de la *Medecina* es contraposa, així, al jo literari de l'*Ovidi*, un jo que, com és freqüent a l'edat mitjana, expressa, des d'una focalització individual fictícia que l'identifica amb l'autor, les necessitats o les aventures d'un jo genèric que abraça tots els homes que es trobin en circumstàncies anàlogues a les de la ficció literària en qüestió.[47] El *Libre de Fortuna e Pru-*

[46] Vegeu *Obras*, pp. *45-*58. No ens podem estar d'apuntar que en l'estudi de la recepció de Petrarca a Catalunya a través de Metge ha de tenir algun paper la constatació de l'abismal diferència d'actitud que separa el Petrarca del «dissidio» del Metge que admira la «natura d'anguila». Vegeu més endavant.

[47] Vegeu la monumental obra de Georg Misch, *Geschichte der Autobiographie*, 8 volums (Frankfurt: 1949-1969). La primera meitat del quart volum tracta del final de l'alta Edat Mitjana i aborda el tema de l'autobiografia sacra (Llull és tractat a les pp. 55-89) i profana (Jaume I, a les 313-428; Juan Ruiz, a les 442-4, i Dante, a les 445-531). Metge no entra en aquest còmput del jo empíric als segles XIII i XIV (com tampoc no hi entra, ni en aquesta primera meitat del volum quart ni en la segona, és a dir al tom VIII, un jo tan vigorós com el de Muntaner); d'aquí totes les consideracions generals que ens permetem de fer a les pàgines següents. Pel que fa als usos autobiogràfics o pseudo-autobiogràfics de la literatura hispànica d'època, vegeu Francisco Rico, «Sobre el origen de la autobiografía en el *Libro de buen amor*», *AEM*, IV (1967), 300-25 i L. Spitzer, «En torno al arte del Arcipreste de Hita», *Lingüística e historia literaria* (Madrid: 1955), L. Spitzer, «Note on the Poetical and Empirical I in Medieval Autors», *Traditio*, IV (1948), 414-22; P. Dronke, *Poetic Individuality in the Middle Ages* (Oxford: 1970); Ph. Lejeune, «Le pacte autobiographique», *Poétique*, Núm. 14 (1973), 137-62; P. Zumthor, «Autobiographie au moyen âge?», *Langue, texte, enigme*

dència, en canvi, és construït sobre tots dos *jo*, l'empíric i el genèric; proposa, a més, un mecanisme literari que explica el pas de l'un a l'altre: Bernat Metge és màgicament raptat al món sense temps de l'aŀlegoria, del qual retorna al final de l'obra per procediments igualment antinaturals.[48]

En aquest aspecte el *Valter e Griselda* és un text menys literari, en el sentit que dóna menys possibilitats a la ficció: la sutura entre el jo empíric de les cartes a Isabel de Guimerà i la traducció de Petrarca se subjecta a la simple convenció del gènere epistolar com a tal. És per això que el jo empíric de la carta proemial-epilogal del *Valter e Griselda* presenta un to autobiogràfic més versemblant que no pas certs episodis del *Libre de Fortuna e Prudència*. Volem dir que les vetlles estudioses de Metge «encercant entre'ls libras dels philòsoffs» (p. 118, 3) raons per a justificar algun propòsit, qui sap si injustificable, són bastant més creïbles que el fet de veure'l patir d'estranys baticors o passejar-se per la vora del mar a altes hores de la matinada qui sap si seguint les petjades solleriques de Guillem de Torroella.[49] Així, doncs, l'aŀlusió a Barcelona dels versos finals del *Libre de Fortuna e Pru-*

(París: 1975), pp. 165-80. Vegeu també la iŀluminadora anàlisi del jo de Dante a la *Divina Commèdia* de G. Contini, *Varianti e altra linguistica* (Torí: 1970), pp. 335-61: el jo empíric i el jo genèric corresponen a una lectura literal o a una lectura moral o espiritual d'un mateix personatge de ficció. Pel que fa al jo literari de Petrarca, que Metge conegué, vegeu més avall, nota 61.

[48] El *Libre de Fortuna e Prudència*, batejat amb aquest nom per Milà i Fontanals, respon fonamentalment al gènere del debat medieval del tipus «Altercatio fortunae et philosophiae»; vegeu Manitius, *Geschichte der lateinischen Literatur des Mittelalters* (Munic: 1931), vol. III, p. 956. Pel que fa als mecanismes de trasllat del personatge Metge al món aŀlegòric, vegeu *Obras*, p. *26, on s'evoca el paraŀlelisme d'aquests mecanismes amb els que condueixen al més enllà en la literatura tradicional, i vegeu també la nota següent. Metge juga amb la triple suggestió del *De consolatione philosophiae* de Boeci, l'*Anticlaudianus* d'Alà de Lille i el *Roman de la rose* de Jean de Meun (*Obras*, p. *27), que constitueixen els materials de base per a la construcció del seu poema. Sense oblidar l'*Elegia* d'Arrigo da Settimello, de què ens parla J. Fleming a «The Major Sources of Bernat Metge's *Libre de Fortuna e Prudencia*», *Journal of Hispanic Philology*, VII (1982), 1-13.

[49] Vegeu *Obras*, pp. *26-*31 i *HLC*, vol. II, pp. 26-40 i 361-8; especialment la nota 27 de la p. 40 d'*HLC*. Que el vell de la barca té un aire de Caront ho assenyala Riquer a la nota 48 de la p. *29 d'*Obras*. El viatge al món de l'aŀlegoria i el viatge al món del més enllà es regeixen per uns mateixos procediments com s'evidencia a la

dència — «on fuy nat / e morray, si·n suy cresegut» — conté una crida a la realitat empírica destinada a compensar el que té de trucat el muntatge autobiogràfic en conjunt.

Lo Somni, com tal vegada l'*Apologia*, de la qual parlarem molt poc perquè és difícil de muntar un discurs sobre l'escadusser fragment que en coneixem,[50] recull l'experiència d'aquests jocs amb la primera persona i aconsegueix d'esdevenir un producte literari nou i coherent, on el jo empíric de Metge no únicament no s'esvaeix darrera dels seus models literaris, sinó que emergeix poderosament amb totes les seves ambigües i esmunyedisses propostes.

Però abans de passar a comentar la presència i la justificació del jo empíric a *Lo Somni*, farem encara algunes observacions sobre la funció pràctica d'obres com el *Libre de Fortuna e Prudència* i el *Valter e Griselda*. Ambdues obres, en efecte, estan escrites en unes circumstàncies anàlogues, que la crítica ha identificat amb dos moments difícils de la carrera pública de Metge, quan el seu prestigi personal sofria una minva a causa de delacions o de simples sospites de poca honradesa en l'administració de l'erari de l'estat.[51] La literatura que el nostre funcionari produïa en aquestes ocasions — la més sonada de les quals és la que provocà *Lo Somni* —,[52] aspirava

---

Divina Comèdia i al conegut llibre d'H. R. Patch, *El otro mundo en la literatura medieval* (Mèxic-Madrid-Buenos Aires: 1956; reimpressió de 1983). Existeix un article de G. Colon sobre un problema lingüístic que afecta el passatge on surt aquest vell tan sospitós: «Un passatge obscur del *Libre de Fortuna e Prudència* de B. M.», *La llengua catalana en els seus textos* (Barcelona: 1978), vol. I, pp. 187-96 (i també *ER*, X (1962), 209-16).

[50] Vegeu *Obras*, pp. *75-*88 i *HLC*, vol. II, pp. 383-8. Per al canvi de datació de l'*Apologia* proposat per Francisco Rico, vegeu *Primera cuarentena* (Barcelona: 1983), pp. 83-4. Rico proposa el 1408 enlloc del 1395 i les innovacions retòriques que presenta aquesta obra en relació amb *Lo Somni* com una fase més avançada de la maduració cultural de l'autor. Tot i que el suggeriment de Rico té perfecta coherència amb el que sabem de l'evolució de Metge de formes «medievals», com el poema al·legòric en vers, a formes «humanístiques», com el diàleg en prosa, és difícil de presentar raons factuals — tractant-se a més d'una obra inconclusa — que ens permetin de saber si Metge va avançar sempre en línia recta o si va fer diverses provatures. Riquer, d'altra banda, dóna el 1395 com a data conjectural (vegeu la p. *75 d'*Obras*: ¿1395?).

[51] *Obras*, pp. *31 i *41-*44.

[52] *Obras*, pp. *87-*126.

a ser un aval de la seva innocència. Metge adoptava l'actitud del savi-polític injustament perseguit que, davant de l'adversitat immerescuda, serenament reflexiona sobre l'arbitrarietat del repartiment del bé i del mal entre els homes: el savi sap com remuntar aquesta absurditat aparent i ho fa recorrent al concepte de providència divina o reflexionant sobre el valor immarcescible de la virtut. El discurs de Prudència o l'exemplaritat de Griselda en aquest sentit són solucions equivalents del problema que té plantejat Metge i ens vénen a dir que el just injustament perseguit, que és ell, serà sadollat,[53] si surt del «perill» en què l'han portat «alcuns affers» o si madona Isabel té «per recomanat» en les seves «devotes oracions» aquell que la suplica «per enveyosos contra justícia maltractat».[54]

v. ÚS DE LA LITERATURA

Sincerament creiem que l'única manera d'explicar els orígens d'aquest ús de la literatura que fa Metge — perquè *Lo Somni* no és més que una ulterior elaboració que pressuposa això mateix —,[55] és concentrant la nostra atenció en la presència obsessiva de la *Consolació de Filosofia* de Boeci en els ambients cultes catalans de la segona meitat del segle XIV i en la pròpia formació de Metge. El fet que Jaume Riera hagi publicat fa poc un documentat treball sobre aquest tema[56] m'eximeix de tractar-lo amb deteniment; només recordaré la famosa anècdota de la dedicatòria de la traducció catalana de la *Consolació de Filosofia* al fill del difunt rei de Mallorca Jaume III (el que morí a Llucmajor el 1349), l'infant Jaume, que fou presoner del Cerimoniós a Barcelona en duríssimes condicions entre el 1358 i el 1362. D'alguna manera la imatge del pobre presoner innocent s'associava en les ments de la gent cultivada d'aquell temps amb la tragèdia de Boeci i estem intentant de suggerir que Metge s'aprofitava d'aquesta dada literària coneguda per tothom[57] per a construir una imatge pública d'ell mateix dotada

---

[53] Mt. 5,6: «Beati qui esuriunt et sitiunt iustitiam: quoniam ipsi saturabuntur».

[54] *Libre de Fortuna e Prudència*, vv. 1-2; *Ovidi*, p. 154, 20-2.

[55] Vegeu l'article d'A. Vilanova citat a la nota 2.

[56] «Sobre la difusió hispànica del *De Consolatione* de Boeci», *El Crotalón. Anuario de Filología Española*, I (1984), 297-327.

[57] Vegeu *HLC*, vol. II, p. 462. L'article de Jaume Riera i Sans ja al·ludit descriu la

d'aquella dignitat que hom pretenia — sembla que justificadament — d'escatimar-li.

Ens tornem a trobar davant d'un recurs de contrafacta literària de textos previs: Metge treballa a partir de Boeci i, com indica la crítica, també a partir d'Alà de Lille, d'Arrigo da Settimello, de Petrarca o de Boccaccio. El resultat final és un híbrid de traducció i creació que adquireix personalitat pròpia en virtut de la seva intencionalitat. Aquesta intencionalitat ens ve vehiculada sobretot per la presència d'un jo literari, i per això el recurs de Metge a l'autobiografia, que, inspirada en l'opuscle famós de Boeci, presideix totes les seves obres no estrictament paròdiques o d'entreteniment, ens dóna la clau de la seva concepció de la literatura. La literatura és l'art de manejar amb la màxima amplitud de coneixements i la màxima eficàcia estilística possibles un conjunt de textos prestigiosos que ens ha llegat la tradició i que poden ser utilitzats de manera immediata i directa per a conquerir, consolidar o reivindicar l'elevat i influent paper social de l'escriptor. En fer això, Metge proposa, sabent-ho i fent veure que se n'amaga, un ús personal, individual i pràctic de la literatura, un ús immoral si és necessari, que és possible perquè el context en què el proposa es troba condicionat per a concedir al literari un valor totalment diferent, ètic, didàctic i, sobretot, genèric.

En aquest sentit basta donar un cop d'ull a la consciència que tenien de l'ús que feien del literari entès com a projecció autobiogràfica personatges com Ramon Llull o Ramon Muntaner. Tots dos Ramons omplen les seves obres de dades que ens permeten de reconstruir amb detall les seves vides, però ho fan amb el ferm convenciment que aquesta projecció de la seva individualitat té un valor exemplar per al proïsme. Llull consagra la seva vida al negoci diví de la conversió dels infidels i de la reforma moral de la humanitat a través de l'Art.[58] Muntaner lliura la seva a la tasca d'enaltir i

---

sorprenent difusió d'aquesta obra en català. A part dels manuscrits que es conserven i de les diferents versions de què tenim notícia, la *Consolació* va merèixer els honors de la impremta incunable (Lleida, Botel, 1489).

[58] A part de la nota 47, vegeu *HLC*, vol. I, pp. 206-34 i les edicions més recents de la *Vida coetània*: la del vol. VIII de les *Raimundi Lulli Opera Latina* (Tournolt: 1980), pp. 261-309, i la continguda a *Vida de Ramon Llull. Les fonts escrites i la iconografia contemporània*, presentades per M. Batllori i J. N. Hillgarth (Barcelona: 1982). Vegeu també la nota 63.

fortificar el casal d'Aragó, el seu déu sobre la terra.[59] Dintre d'una literatura vulgar que oferia exemples il·lustres de biografies al servei de l'ideal, a partir del mateix Jaume I, el pare de tots en sentit ampli;[60] Metge introdueix, doncs, com dèiem, una manera de fer que, per una banda, és una caricatura de tot això (Metge, que se sap culpable, es disfressa de pobre Boeci) i, per l'altra, desplega una habilitat retòrica i dialèctica tal que li permet de presentar-se seriosament com un cultivador filosòfic i conscienciós de la literatura en primera persona a l'estil d'aquell Francesco Petrarca, per exemple, que es donava a l'apassionada recerca d'ell mateix a través de la seva obra.[61]

VI. LO SOMNI: EL JO LITERARI

Les lletres catalanes del segle XIV no són gens propenses a la reflexió sobre els problemes que planteja el fet d'escriure llibres artístics en llengua vulgar per a ús i entreteniment d'un públic que s'agrada de llegir-los; per això val la pena de fer notar que Bernat Metge, en un moment determinat de *Lo Somni*, introdueix una justificació de la literatura en primera persona, que ha passat generalment desapercebuda però que creiem que té molt d'interès com a testimoni de l'extraordinària ductilitat de Metge a l'hora de jugar en abstracte amb els models literaris. El fragment se situa al final del

---

[59] *HLC*, vol. I, pp. 449-80; cal veure també el pròleg de la crònica, *Les Quatre grans cròniques* (Barcelona: 1971), pp. 667 s. Hi ha una bibliografia recentíssima sobre la qüestió; vegeu, per exemple, Stefano M. Cingolani, «*Jo Ramon Muntaner*. Consideracions sobre el paper de l'autobiografia en els historiadors en llengua vulgar», *Miscel·lània A. M. Badia i Margarit*, vol. 3 (Montserrat: 1985), pp. 95-126.

[60] *HLC*, vol. I, pp. 394-429 i la nota 47.

[61] Vegeu l'observació recollida a la nota 46. Pel que fa a la introspecció petrarquesca i als seus reflexos literaris, remeto a Francisco Rico, *Vida u obra de Petrarca. Volumen I: Lectura del Secretum* (Chapel Hill: 1974), pp. xiii-xvi i totes les altres. En la literatura catalana del XIV i del XV no trobem res que s'assembli a la sensibilitat de Petrarca. Podem trobar, en canvi, l'emergència vigorosa del jo empíric d'Anselm Turmeda. El volum 10 de Els Nostres Clàssics ja reunia el 1927 les *Obres Menors* de Metge i Turmeda, on ens trobem amb un ús de la literatura dictat per les necessitats individuals. Vegeu això mateix en el context de la literatura trobadoresca en el poema *Presoner* de Jordi de Sant Jordi (comentaris de l'edició citada a la nota 17).

llibre segon, entorn de la tercera pregunta que el secretari formula al seu rei difunt: «¿Per què sóts vengut en aquesta presó?» (p. 228, 5-6). El rei respon dient que se li ha aparegut per demostrar la seva innocència, «car net e sens culpa est de tot» (p. 250, 20-1) i, a més, perquè és molt convenient que Metge retingui tot el que ha sentit i ho transmeti als «amics e servidors» del rei, car, «los ne seguirà gran profit» (p. 252, 11-3). D'altra banda, si ho posés per escrit, «se'n seguiria major profit en lo temps esdevenidor a molts, de què hauries gran mèrit» (p. 252, 16-7). Com es pot veure, el fragment no tracta només de mostrar la innocència de Metge i dels seus amics, sinó d'explicar la redacció de *Lo somni*, que és una obra suposadament autobiogràfica, tota plena d'un jo múltiplement actiu.

Diu Dante que diuen els retòrics que qui parla d'ell mateix o bé ho fa per lloar-se o bé ho fa per vituperar-se.[62] Llull, en aquest sentit, va omplir el *Libre de contemplació en Déu* de severíssimes confessions del seu passat de pecador mundà però, en canvi, sobretot després de la crisi dels anys 1292-1294, va aprendre a usar la seva pròpia imatge llegendària d'home foll per l'amor de Déu per a vehicular un determinat missatge ètic: així, al pròleg del *Phantasticus* del 1311 reivindica la biografia exemplar de Ramon davant de l'errada que ha seguit Pere, el clergue simoníac.[63] Diu Dante, a més, al *Convivio*, que no és bonic exterioritzar els propis defectes en confessió pública i que encara és pitjor intentar la lloança d'un mateix, perquè, en fer-ho, serem injustos, ja que ens enganyarà l'amor propi, i la lloança, de tan plena d'orgull, esdevindrà vituperi. En un passatge de la *Vita nuova* ell mateix s'excusa d'haver estat «laudatore di me medesimo»[64] i gairebé ens sembla de sentir la veu del beat quan maleeix els joglars esdevinguts símbols de la vanaglòria: «Car qui guarda los joglars d'aquest món, totes les terres ne veurà plenes, car cascun hom és joglar de si mateix a loar».[65] Dante s'ha de parapetar davant d'aquest rebuig moral del jo literari, imposat

---

[62] *Convivio*, I, II; Dante Alighieri, *Tutte le opere* (Florència: 1965), pp. 112 s.

[63] Vegeu la nota 58 i l'edició del *Phantasticus* per M. Müller a *Wissenschaft und Weisheit*, II (1935), 311-24. I el meu treball sobre la qüestió a *Estudios Lulianos*, XXVI (1986), pp. 5-22.

[64] «Non è convenevole a me trattare di ciò, per quello che, trattandolo, converrebbe essere me laudatore di me medesimo, la quale cosa è al postutto biasimevole a chi lo fae», *Vita nuova*, XXVIII, edició citada a la nota 62, p. 70.

[65] *Obres essencials* (Barcelona: Selecta, 1960), vol. II, p. 356, paràgraf 15.

per una certa convenció, al darrera d'alguns models inatacables que es diuen, ves per on, Boeci i Agustí. Hi ha dues raons per les quals hom pot parlar d'ell mateix: «l'una è quando sanza ragionare di sè grande infamia o pericolo non si può cessare ... E questa necessitate mosse Boezio di sè medesimo a parlare ... L'altra è quando, per ragione di sè, grandissima utilitade ne segue altrui per via di dottrina; e questa ragione mosse Agustino ne le sue *Confessioni*».[66]

Heus ací, doncs, que Metge ens ha volgut fer creure al passatge que hem citat més amunt, que ell, si fem el paral·lel amb el Dante del *Convivio*, parla en primera persona a *Lo Somni* per «timore d'infamia» i per «desiderio di dottrina dare». Aquesta és l'excusa oficial que explica l'exercici d'escriptura de *Lo Somni*, el qual ens és servit, doncs, com a un agosarat projecte apologètic i doctrinal concebut amb la més gran reverència per les consideracions morals que es malfien de la literatura massa personal. Tots sabem, però, que malgrat aquestes aparences, el text de *Lo Somni* és, com a mínim, ambigu en molts dels seus punts doctrinals més compromesos;[67] amb la qual cosa l'autodefensa davant la calúmnia i el desig de divulgar la bona doctrina no són altra cosa que signes externs de compromís amb uns bons propòsits que el mateix text s'encarregarà de desmentir. I aquest del desmentiment serà el primer punt que veurem ara.

VII. Lo Somni: burles i trufes

Lo Somni se'ns planteja com la palinòdia d'un subjecte moral que ha adoptat unes actituds de comportament heterodoxes. A falta d'altra informació, per a nosaltres aquestes actituds seran les que s'expressen al *Sermó*, donant valor pragmàtic a la paròdia i fent ús de la lectura ultrada que hem proposat a l'anterior apartat III, és a dir, donant per suposat que el *Sermó* nega la transcendència. Tal com diu Joan I al llibre segon de *Lo Somni*:

---

[66] Ed. citada a la nota 62, pp. 112-3.

[67] Així, per exemple, Pere Bordoy-Torrents, en el seu valuós article, «Les escoles dominicana i franciscana en *Lo Somni* de Bernat Metge», *Criterion*, I (1925), 60-94, assenyala a la p. 80 que el fet que Metge usi la paraula *opinió* per a designar la creença en la immortalitat de l'ànima és una prova d'escepticisme. El que passa és que no és l'única prova de disconformitat amb l'ortodòxia; vegeu més endavant.

«per tal com no solament dubtaves, ans, seguint la oppinió de Epicuri, havias clar la ànima morir qualque jorn ab lo cors, lo contrari de la qual cosa dessús te he fet atorgar» (p. 250, 5-8). Deixant per a una mica més avall el tema de l'«epicureisme» de Metge, vegem la presència en llocs estratègics de l'estructura general del text, d'alguns acudits dignes de ser tinguts en més consideració que la que ordinàriament se'ls atorga. *Lo Somni* presenta, ben articulada, la discussió de tres temes: la immortalitat de l'ànima humana individual, el sentit del més enllà, amb el càstig o el premi corresponents de les accions humanes, la bondat o maldat de la natura de la dona, objecte del plaer de l'home en aquest món. És evident i sabut que aquests tres temes són implícits d'alguna manera ja al *Sermó*, a l'*Ovidi*, al *Libre de Fortuna e Prudència*, al *Valter e Griselda*, i que *Lo Somni* ve a ser com la maduració última de tot un plantejament literari. Voldríem afegir ara que hi ha un ingredient d'aquesta continuïtat en l'obra de Metge que no volem deixar passar per alt: la ironia. La ironia, present en els mecanismes de la paròdia tractats més amunt i la ironia del joc intranscendent de la *Medecina*, la ironia de l'autor del *De vetula*, la ironia de la falsa evocació boeciana del *Libre de Fortuna e Prudència*, la ironia de Boccaccio, no copsada per Petrarca, que presenta amb la seva Griselda un quadre de virtut realment monstruós com a coronació del *Decameron*.[68]

L'«análisis esquemático» de *Lo Somni* que fa Riquer a les pàgines *130-*134 d'*Obras* és una bona guia per a seguir l'estructura discursiva i l'excepcional saviesa arquitectònica de la nostra obra,[69] la qual, des del moment

---

[68] Vegeu l'article de Tavani citat a la nota 2.

[69] Els tres temes, com hem dit, que Metge vol ventilar a favor seu a *Lo Somni* (la immortalitat de l'ànima, el més enllà, les dones) engendren tres interlocutors (un rei cristià, un poeta que ha anat a l'infern en vida, un endeví amb un estrany passat transsexual). L'excepcionalitat de les experiències vitals que la mitologia atribueix a Orfeu i Tirèsias els capacita especialment per a la funció que han de tenir, mentre que Joan I fa de rei cristià i de protector de la innocència del seu amic Metge. L'escenografia de la seva pena al purgatori vehicula la presència dels altres dos interlocutors. Orfeu és, en efecte, alhora el poeta que materialment viatjà a l'infern i el símbol d'aquella música que féu pecar Joan I; Tirèsias, anàlogament, el moralista agre que coneix per experiència pròpia la maldat femenina i el símbol de les arts endevinatòries que el monarca difunt estimava en excés. L'enrenou de gossos i aus de cacera que envolta l'aparició ha de ser paorós en la mesura en què evoca les circumstàncies de la mort fortuïta del rei al bosc de Foixà. El sopor que projecta Metge al món del

que es presenta sota la forma de diàleg, se'ns ofereix com un enfrontament dialèctic entre posicions contraposades.[70] En les primeres dues qüestions debatudes, les de l'ànima i del més enllà, Metge té l'obligació irrevocable de sotmetre's a l'ortodòxia cristiana; pel que fa a la tercera, la de les dones, tot i que Metge es rendeix als ensenyaments misògins de Tirèsias, la seva resistència a acceptar-los esdevé motiu d'un divertiment del qual participa el mateix contrincant dialèctic (p. 370, 1-3). Si Metge es pot permetre de contradir Tirèsias rebatent amb enginy i empenta el *Corbaccio* de Boccaccio que li fa recitar (extrem perfectament palès per als seus lectors),[71] és

somni i el seu penós desvetllament final són el marc narratiu obligat de la ficció literària.

[70] Al *Libre de Fortuna e Prudència* Metge ja havia recorregut a la discussió amb dos interlocutors per a plantejar dues solucions possibles al problema del destí humà individual i de la providència divina. No eren necessaris, doncs, en principi, grans models clàssics per a suggerir-li en termes generals l'ús del diàleg que trobem a *Lo Somni*; si el model de sant Gregori ens sembla encara massa proper al de la retòrica ciceroniana, només cal pensar en *Lo Desconhort* de Ramon Llull. Metge, però, era un bon lector de les *Tusculanes*, com és ben sabut, i en matèria de diàlegs clàssics filava prim, com es pot veure en la seva coneguda apreciació a propòsit dels *verba dicendi* (p. 160, 9-15). Vegeu la nota 50.

[71] Ja veurem més avall (nota 84) que el «descobriment» per part dels crítics del segle passat i de principis de l'actual d'«escandalosos plagis» en Metge no és més que un error de valoració del seu model literari. En aquest sentit, Riquer ens adverteix molt justament del problema al seu treball «Boccaccio nella letteratura catalana medievale», *Boccaccio nelle letterature nazionali* (Florència: 1978), p. 116: «Bernat Metge nel quarto libro di *Lo Somni* controbatte quel che Tiresia ha detto nel terzo: e si osservi che questa conclusione sarebbe completamente diversa se il discorso di Tiresia fosse contenuto nel quarto libro, dopo l'esposizione dello stesso Metge. Ed ecco il significato della discussione: il Boccaccio del *Corbaccio* viene impugnato da passaggi presi principalmente da una epistola del Petrarca, con ricordi del *De claris mulieribus* dello stesso Boccaccio. C'è un proposito evidente di far sí che il Boccaccio volgare venga confutato dal Boccaccio latino e soprattutto che il Boccaccio venga smentito dal Petrarca. In fondo ritroviamo lo stesso atteggiamento del 1388, quando Bernat Metge traduce la *Griselidis* e afferma che è opera del Petrarca tacendo, invece, che si tratta della traduzione di un'opera scritta in volgare dal Boccaccio». El públic d'entesos a qui Metge dirigia la seva obra, lluny de creure ingènuament que Metge havia escrit el *Corbaccio* en català, es divertia desxifrant els missatges sorneguers que el suposat plagi els transmetia.

perquè el tema del debat clarament ho permet sense cap mena de problema.[72] En canvi, davant de Joan I i d'Orfeu, Metge ha de retre les armes com més aviat millor. Voldríem mostrar ara que aquest lliurament d'armes va acompanyat d'unes ganyotes i d'unes picades d'ullet que, com dèiem, apunten al desmentiment dels convenciments que proclama.

El primer punt a tractar és el de la sorpresa del Metge de ficció davant de l'aparició del rei. Metge tremola de l'espant (p. 168, 10) i protesta quan Joan I li diu que és esperit (*ibid.*, 15-16). És més, Metge està disposat a creure que el rei no ha mort, abans d'admetre que l'esperit «puxe tenir altre camí sinó aquell que la carn té» (*ibid.*, 19-23). El rei intenta de convèncer-lo per l'evidència de la seva pròpia aparició, però ha d'acabar buscant la manera de fer-li concedir que està disposat a admetre l'existència d'alguna cosa més que allò que veu (p. 170). Metge, per defensar-se, formula amb extraordinària precisió la seva posició d'incrèdul, com un nou sant Tomàs evangèlic (p. 172, 17), però no triga a lliurar les armes. La seva resistència té, doncs, en teoria només la funció de donar més relleu a la victòria de Joan I. Tan bon punt és vençuda, en efecte, Metge ens explica com s'asserena emotivament i es disposa a prestar homenatge al seu senyor, ja que admet que un mort pugui parlar-li en esperit (p. 174, 20). El monarca el consola dient-li que el nou rei Martí el traurà de la presó i, un cop calmades les aigües, Metge sol·licita explícitament ser instruït sobre la pervivència de l'esperit després de la mort (p. 176, 15-20).

Tota l'exposició sobre la immortalitat de l'ànima que vindrà, reposa, doncs, en el lliurament d'armes suara al·ludit: si Metge no hagués retirat d'entrada allò de «ço que veig crech, e del pus no cur» (p. 172, 17), hauria estat inútil continuar parlant d'una cosa invisible. La manera com Metge retira aquesta afirmació consisteix a confessar, induït pel rei, que creu que abans de ser engendrat era no res, tot i que no pot tenir experiència del fet.

---

[72] Tota l'edat mitjana ressona del contrast entre l'Eva pecadora vençuda pel diable i la Maria redemptora vencedora del seu engany. Si el tema és ja oficialment bifront, Metge té tot el dret del món a ser subtil i ambigu; pot negar-se, doncs, a admetre la intrínseca maldat femenina mentre renuncïi a la defensa de l'adulteri, que és el que queda, després de la devaluació dels ideals del segle xii, de l'*amor cortès*. Vegeu la nota 45 i tot el que s'ha dit a l'apartat IV a propòsit de l'*Ovidi*. El problema de les dones en Metge és en gran part una qüestió de teoria de la literatura, com es veu a la nota anterior.

Immediatament Joan I extrapola d'aquesta confessió que Metge admet creure coses que no ha vist i dóna a la confessió mateixa un valor desmesurat, ja que el seu secretari ha dit ben clarament que la seva creença en aquest cas és un simple raonament deductiu (p. 174, 6-8). Ara bé, Metge, per abreujar la discussió i donar la raó al rei, s'apressa a posar-se al seu costat amb una sortida que és una gran broma entre grollera i burleta, construïda a base d'afegir sal i pebre a un raonament tret dels ingenuíssims *Diàlegs* de sant Gregori. Riquer mateix, seguint Casacuberta, ens ho conta en nota; vegem-ho: el Gregori dels *Diàlegs* explica al seu deixeble Pere que una manera d'induir l'incrèdul a admetre l'existència de les coses invisibles de caràcter espiritual és la de fer-li la consideració de l'experiència, per tots compartida, segons la qual admetem que els nostres pares són l'home i la dona que quan érem petits van tenir cura de nosaltres, tot i que no els vam poder veure en el moment en què vàrem ser engendrats per ells i no per uns altres. Així, segons Gregori, l'incrèdul ha d'atorgar que «quod non vidit, credit».[73] Metge senzillament fa una paròdia d'aquest raonament eliminant-ne malintencionadament la dona i deixant-hi només l'home:

—Ver és, Senyor, que algunes coses cresch que no he vistas; e per ço que he atorgat no ho puc negar. E la veritat, com mes hi pens, pus clar ho veig, car moltes vegades é cresegut diverses coses que no·s podien clarament provar. *E majorment una cosa fort comuna a totes gents: si hom demanava a cascun hom qui és stat son pare, ell nomenaria aquell qui·s pensa que ho sia, però no ho sabria certament, sinó per sola creença.*

(p. 174, 10-16)

Resulta que la base de la convicció que hi ha coses invisibles reposa en una cosa tan incerta com la fe que podem atorgar a una dona que ens assegura que el nostre pare és un determinat individu; ja hem retret més amunt un proverbi a propòsit de la fe de les dones i les anguiles. Aquí, a més, Metge ho diu ben clar: el que sabem per una dona en matèria de paternitat no és certesa, sinó creença...[74]

---

[73] Vegeu la nota 9 a la p. 174 d'*Obras*: llibre IV, cap. II, col. 320. Per a l'edició de l'antiga versió catalana medieval, vegeu el volum 97 de «Els Nostres Clàssics» (Barcelona: 1968), p. 18.

[74] En un indret on no venia gaire a tomb ja vam consignar la capital importàn-

Dues observacions a propòsit d'aquest acudit. Que la seva mera presència en un punt tan crucial posa en entredit tota la palinòdia que segueix; que la utilització de les fonts que fa Metge té moltes més funcions que no són la purament ornamental o la d'exhibició d'uns coneixements literaris útils per a la seva professió. Aquí Metge fa servir sant Gregori per a negar a través de la paròdia el missatge fonamental dels seus *Diàlegs*, la qual cosa clarament constitueix una «trufa» agradable per als amics amb qui Metge anava a «burlar al Born» (*Medecina*, vv. 118-21).

En aquest últim sentit voldríem aportar l'exemple de la discussió d'un passatge de Valeri Màxim (p. 204), en la qual Metge insinua un motiu d'hilaritat que posteriorment queda desmentit per una rèplica de Joan I, destinada a descobrir proves de creença en la immortalitat de l'ànima fins i tot en els passatges més controvertibles de les autoritats dels gentils. En qualsevol cas, Metge ha copsat un acudit confegit pel mateix Valeri, un acudit, val a dir, molt del gust del *Sermó* del nostre autor. Valeri sosté que el costum dels antics gals — francesos, segons Metge, aneu a saber si amb alguna oculta voluntat d'ofendre algú — de prestar diners amb la promesa de tornar-los després de la mort és una solemne bestiesa i que, si Pitàgoras, que era savi i grec, no hagués sostingut la immortalitat de l'ànima, l'anècdota seria suficient com per a considerar orat qui formulés la creença en el més enllà. El rei assegura que Valeri no tracta d'orats els gals amb el fi que Metge suposa (negar la immortalitat de l'ànima) i exposa els seus motius. El que ens interessa aquí és, però, la malignitat de la tria del passatge de Valeri i la riallada que cal que provoqui el gest d'aquests antics gals esdevinguts de cop i volta estults de *fabliau*.

A part ara d'aquestes malícies, voldríem fer veure que la paròdia del passatge de sant Gregori que hem assenyalat es troba en posició simètrica amb una altra sorollosa mostra de frivolitat. A la pàgina 204, just al final del raonament de Joan I, quan només falta adduir el testimoni dels mahometans per a completar l'argumentació sobre la immortalitat de l'ànima, Metge es declara satisfet i convençut i diu que ha recuperat la fe i que «ab aquesta opinió vull morir» (*ibid.*, 5). El rei el corregeix i li fa dir «ciència certa» en lloc d'«opinió» (*ibid.*, 6) i Metge es deixa corregir sense oposar re-

---

cia que té aquesta manipulació de fonts. Vegeu Lola Badia, «A propòsit dels models literaris lul·lians de la dona: Natana i Aloma», *Estudi general*, II (1981), 24. Vegeu el punt 3.*C* dels «Addenda».

sistència: diu que no recordava bé «la virtut del vocable» (*ibid.*, 10). Assenyalem a aquest propòsit que, quan Tirèsias vol convèncer Metge al final del llibre quart de la maldat de les dones, el nostre secretari es nega a acceptar la seva sentència: «— No faray jamay — diguí jo —; ab aquesta oppinió vull morir» (p. 370, 6-7); aquí ningú no corregeix l'ús del mot *opinió* perquè ha estat aplicat a un objecte adequat. Com dèiem a la nota 67, ja ha estat observat que aquest oblit momentani de la virtut del vocable opinió és bastant sospitós en el context en què apareix, és a dir al final de l'argumentació i en el moment, fet i fet, d'un acte de fe per part de Metge.

Resumint podem dir que la conversió que Bernat Metge s'atribueix al primer llibre de *Lo Somni* és una conversió conscientment ambigua, si se'ns permet la contradicció terminològica. Una lectura ingènua i ben intencionada del llibre, influïda pel prestigi dels textos de Ciceró, Macrobi, Cassiodor, sant Gregori, Duns Escot, sant Tomàs, Llull, Valeri, la Bíblia, Joan Cassià, el *Flos Sanctorum*, que hi són diversament aprofitats, pot atribuir serietat religiosa i vocació filosòfica autèntica a Metge. Nosaltres ens sentim totalment incapacitats per a una tal lectura i compartim l'actitud de Pere Bordoy-Torrents, que veu en aquest diàleg de la immortalitat de l'ànima i en el següent, un propòsit deliberat per part de Metge d'adoptar un sorprenent sincretisme teològic i doctrinal que li permet de fer-se seus uns punts de vista que enfrontaven els dominicans avinyonistes i els franciscans romanistes; i, per si això fos poc, encara es permet el luxe de fer l'ullet als descreguts amb coses com l'oblit del sentit del mot opinió.[75] Metge està al costat de tots i de ningú i la literatura li ha servit precisament per a ser tan esmunyedís com una anguila.

VIII. LO SOMNI: RETRAT INTEL·LECTUAL DE BERNAT METGE

En dur a terme una empresa com aquesta, Metge mostra una ductilitat de pensament i d'ús del llenguatge que el posa al nivell dels millors escriptors

---

[75] Llegiu les pp. 73-8, «Tomisme i escotisme en les proves de la immortalitat de l'ànima», i 78-80, «Escepticisme de Bernat Metge», de l'article de Bordoy-Torrents citat a la nota 67. «En definitiva, dirà el lector, Bernat Metge s'haurà quedat amb l'Escola tomista? Ni amb aquesta ni amb l'altra [escotista], sinó amb totes dues!» (p. 77).

de la història de la literatura de tots els temps i també mostra poder mane-
jar les fonts que hem citat, i d'altres que encara no hem citat, amb una fa-
miliaritat autèntica, la familiaritat que permet fins i tot un ús lúdic dels
textos utilitzats. És legítim preguntar-se, arribats en aquest punt, si hi ha
indicis per a caracteritzar l'actitud intel·lectual del Metge que s'inventa
una versió personal de la literatura que li permet de fer uns jocs concep-
tuals tan perillosos, tan divertits i tan ben aconseguits. El parany per a l'an-
guila ens el suggereix el mateix Metge quan fa que el rei el defineixi com a
epicuri, com ja hem fet notar més amunt, quan dèiem que la «filosofia»
implícita del *Sermó* s'ajustava a les actituds vitals que *Lo Somni* aparent-
ment contradiu.

A part d'aquesta dada importantíssima de l'epicureisme, Metge s'atri-
bueix també algunes altres característiques que cal recollir curosament.
En primer lloc el «delit de rahonadament contrestar» les veritats establer-
tes (p. 294, 24-25). És Joan I qui, recordant al seu secretari aquesta tendèn-
cia seva, l'exhorta a posar objeccions a les proves de la immortalitat de
l'ànima que li acaba d'exposar. Metge es permet de matisar això del «delit»
i afirma clar i net que «disputant e rumiant bé les cosas, pervé hom mils a
vere conaxensa de aquellas» (*ibid.*, 27-28).

El Bernat Metge implacablement crític que emergeix en aquest passat-
ge creiem que cal complementar-lo amb el Bernat Metge literat subtil que
se'ns revela en un moment del llibre tercer, quan Orfeu es resisteix a con-
testar la seva pregunta sobre la natura de les penes de l'infern dient-li: «¿E
per què·t fenys pus ignoscent que no és? Lexa aytals interrogacions a hò-
mens il·literats, rudes e no savis» (p. 278, 8-9). Quan Metge insisteix en la
seva ignorància — és un recurs que empra sovint en el curs del diàleg per a
propiciar les entrades explicatives de coses diverses; al final del segon lli-
bre, per exemple, fingeix haver oblidat qui eren Orfeu i Tirèsias (p. 256, 17-
20) —, el poeta antic ha d'acabar per dir-li que el seu saber s'està posant de
manifest en les converses que està mantenint amb ell i amb el rei (*ibid.*, 11-
12). Així, doncs, Metge se'ns presenta com un home docte, a banda de crí-
tic. La seva saviesa, però, entra ràpidament en dubte gràcies a la interven-
ció de Tirèsias, que insinua l'habitual distinció paulina entre la saviesa
profana i la saviesa de Déu: «Anit veurem si es savi o no» (*ibid.*, 15), diu Ti-
rèsias interrompent, com sol, el diàleg entre els altres personatges.

Tirèsias ha d'induir Metge a una reforma de costums i per això nega la
seva saviesa vista des d'una òptica ètica. Tanmateix, com ja hem dit, fins i

tot l'agre Tirèsias es diverteix escoltant com Bernat Metge pledeja a favor de les seves posicions errades:

> — No podria explicar sufficientment lo delit que he haüt del teu enginy. Disertament e acolorade, a mon juý, has respost a tot ço que yo havia dit de fembras. La veritat, però, no has mudade, car una matexa és. E si volies confessar ço que·n dicta la tua consciència, atorgaries ésser ver tot ço que·t he dit dessús.
>
> (p. 370, 1-5)

Resulta que Metge és crític, docte i també enginyós, d'un enginy fonamentalment dialèctic i retòric que li permet de controvertir amb habilitat i gràcia qualsevol proposició. El parany suggerit per Metge ens ha permès d'atrapar una anguila que a dir veritat s'assembla molt a la dels antics sofistes; tanmateix Metge, parlant d'ell mateix, evoca Epicur (i no Protàgoras!); creiem que la imatge de l'epicureisme que corria al segle XIV entre certs escriptors vulgars freqüentats per Metge ens pot donar una semblança força acceptable de la «filosofia» vital que expressa en les seves obres aquest intel·lectual crític, docte i enginyosíssimament brillant que ens fa l'ullet a Lo Somni tot presentant-se com el retrat del personatge real que respongué al nom de Bernat Metge.

IX. UN CERT EPICUREISME

Com és ben sabut, Dante al cant X de l'*Infern* defineix l'epicureisme com una secta perversa de descreguts que «l'anima morta col corpo fanno» (v. 15). En canvi la crítica ha observat que al llibre tercer del *Convivio* (en una data, doncs, anterior a la del vers suara esmentat) dóna unes explicacions sobre la posició d'aquests «heretges» que sembla voler-los justificar; Epicur comprovà l'instint de plaer de les bèsties i dels homes i, per això, identificà bé i plaer, així ho conta Ciceró.[76]

Segons Dante, doncs, l'epicureisme consisteix a negar la supervivència de l'ànima i a identificar bé i plaer.[77] Els epicuris que apareixen al cant X

---

[76] *Convivio*, IV, II, edició citada a la nota 62, p. 168.

[77] Per a un plantejament de les fonts d'aquest epicureisme medieval, vegeu l'article *Epicurei* a l'*Enciclopedia dantesca*, (Roma: 1970), vol. II, pp. 697-700, signat per

de l'*Infern*, a més, són homes del segle XIII, alguns compatricis de Dante (Farinata degli Uberti, Cavalcante dei Cavalcanti), d'altres representants d'una jerarquia que s'entredevora (Frederic II Staufen, el cardenal Ottaviano). Una ben coneguda confusió entre Cavalcante dei Cavalcanti i el

---

Giorgio Stabile. Hi ha una *opinio vulgata* sobre l'epicureisme que arrenca de textos de sant Pau i de Lactanci i que es reflecteix en obres del segle XII com l'*Estheticus* de Joan de Salisbury: «[Epicurus] docet animam cum carne perire et frustra leges iustitiamque coli» (vv. 571-2). Al darrera d'aquesta noció de l'epicureisme hi ha de vegades respecte per l'antic filòsof (conegut sempre per fonts indirectes) com es pot veure en l'article d'André Pézard «Un Dante Épicurien?», *Mélanges offerts à Étienne Gilson* (Toronto-París: 1959), pp. 499-536. No són gaire lluny de l'*opinio vulgata* en qüestió algunes gresques goliàrdiques sobre la cràpula que sens dubte haurien divertit Bernat Metge: «Alte clamat Epicurus: / venter satur est securus; / venter deus meus erit», CB 211 (*Carmina Burana, loc. cit.* a la nota 29, p. 59). En qualsevol cas parlem aquí d'un epicureisme sense textos grecs i sense Lucreci, que té poc a veure amb el que reivindicarà Erasme al seu *Epicureus* i que segles més tard apareixerà en medis humanístics: A. Tenenti, «La polemica sulla religione d'Epicuro», *Credenze, ideologie, libertinismi tra medioevo e età moderna* (Bolonya: 1978), p. 287-306. Que l'epicureisme sigui «herètic» cal entendre-ho com una metàfora, segons suggereix G. Stabile al lloc citat (vegeu-hi també l'article *eresia* de Raoul Manselli, *ibid.*, pp. 718-22). Repassant el famós *Directorium Inquisitorum* de Nicolau Eimeric, escrit a Avinyó el 1376 (N. Eymerich, Francisco Peña, *Le manuel des inquisiteurs*, introduction, traduction et notes de Louis Sala-Molins (París-La Haia: 1973)), hom llegeix que és heretge tothom que dubta de la fe (p. 51) i que mostra tenacitat en el seu error (p. 53), en el benentès que error i heretgia en matèria de fe són el mateix. En la llista d'heretges de tots els temps (pp. 56-62), però, enlloc no apareix el nostre epicureisme. Cal fer notar que Eimeric, el terrible Eimeric, no sembla tenir prevista una etiqueta per a fulminar categòricament Metge i les seves frivolitats sinuoses. El *Directorium* preveu que hom pugui dubtar de la fe, però no preveu que hom pugui negar alegrement i jocunda la transcendència. Fins i tot l'apòstata és definit com «el cristià que nega *una veritat* de la fe» (p. 83). L'epicureisme de Metge, que ell mateix atribueix al seu retrat literari, lligaria amb la frase famosa «ço que veig crech, e del pus no cur» (p. 172, 17); la qual, d'altra banda, té un enllaç més verbal que altra cosa amb la definició que Felip de Malla dóna de la «philosophia que no és philosofia, si bé se'n vol usurpar lo nom»: «no creu sinó ço que pot veure» (*Memorial del pecador remut*, ed. M. Balasch (Barcelona: 1981), vol. I, pp. 185 s.). També Ausiàs March assegura que per a Epicur el bé és el plaer: «Picurus dix ell ésser lo delit», CVI, 197, edició Bohigas, IV, p. 139. Vegeu els «Addenda», especialment 1.*C* i 3.*B*.

seu fill Guido, el delicat poeta del *stilnovo*, fa que aquest últim aparegui com un temible descregut al conte IX de la VI jornada del *Decameron* i que hom li atribueixi que «alquanto tenea della oppinione degli epicuri». Això «tra la gente volgare» equivalia, segons Boccaccio, a «se trovar si potesse che Iddio non fosse».[78] El mateix Boccaccio tracta més detingudament el tema a les *Esposizioni sopra la Comedia* quan explica que Epicur «ebbe alcune perverse e detestabili oppinioni, per ciò che egli negò del tutto l'eternità dell'anima e tenne che quella insieme col corpo morisse, come fanno quelle degli animali bruti ... Tenne ancora che somma beatitudine fosse nelle dilettazioni carnali...»[79] De Cavalcante es diu que fou epicuri i «per questo, sí come eretico, é dannato».[80]

Aquest epicureisme fals i esquemàtic de fons literàries creiem que s'adapta com l'anell al dit a la «filosofia» implícita del *Sermó* i a la que *Lo Somni* nega entre picades d'ullet. Ja hem ressenyat més amunt quins són els tres temes de l'obra cabdal del nostre autor que, de fet, recullen tota la matèria dels escrits anteriors: la immortalitat de l'ànima, el sentit del més enllà amb el càstig o el premi corresponent de les accions humanes, la bondat o la maldat de la naturalesa de la dona, objecte de l'amor de l'home. D'altra banda, de totes les possibles qualificacions que podria merèixer el programa no ortodox que circula per les obres de Metge i que estem intentant de caçar (cínic, descregut, ateu, escèptic, nihilista, amoral, lliure pensador, passota, etc.), no n'hi ha cap que el defineixi tan plenament com la que ell mateix s'atribueix tot passant: epicuri.[81]

Un Metge epicuri en el sentit de Dante i de Boccaccio se'ns apareix definitivament com un literat i de cap manera com un filòsof conscient,

---

[78] Vegeu el *Decameron* al volum IV de *Tutte le opere di G. B.*, a cura di V. Branca (Milà: 1976), p. 562, 9 i les notes corresponents a les 1340 i 1344.

[79] Vegeu les *Esposizioni* al volum VI de *Tutte le opere di G.B.* (Milà: 1965), p. 515, 10-11.

[80] *Ibid.*, p. 526, 61. Pel que fa a «eretico», vegeu la nota 77.

[81] A l'article repetidament citat de Bordoy-Torrents (nota 67), pp. 78-80, l'autor, després de negar que Metge pugui ser pres per escèptic perquè dubta dels arguments racionals que demostren la immortalitat de l'ànima (era lícit als seus temps admetre-la com,a matèria de fe i prou) es troba amb l'acudit de l'*opinió*. El comentarista emmudeix. ¿És escepticisme aquesta sortida? ¿Ganes de fer riure amb plagasitats irreverents?

que pugui ser pres seriosament, ni com a iniciador del pensament laic a Espanya,[82] ni tan sols com a escèptic mínimament conseqüent, com va dir amb gran èxit Nicolau d'Olwer.[83] Creiem que per a negar la vocació filo-

[82] Marcelino Menéndez Pelayo, a «De las vicisitudes de la filosofía platónica en España», *Ensayos de crítica filosófica* (Madrid: 1892), troba bastant adotzenada la filosofia platònica de Metge: «en la recepción de los nunca olvidados argumentos del *Phedon* ha de verse, más que otra cosa, el prestigio de la tradición escolástica que heredó dichos argumentos de san Agustín...» (pp. 87-9). Metge, com a filòsof, desfila bastant de passada a la *Historia de la filosofía española. Filosofía cristiana de los siglos XIII al XV (Madrid:* 1943), vol. II, pp. 526 s., dels germans Carreras Artau; hi és tractat com un filòsof renaixentista que rebat tesis materialistes, tot i que, més que un pensador, és un cultivador de la «literatura de asunto filosófico», que és poc original però escriu bé. On Metge fa paper de filòsof amb un protagonisme més ple, és al vol. VI de la *Grande Antologia Filosofica* (Milà: 1964), dedicat a *Il pensiero della Rinascenza in Spagna e Portogallo*, redactat per Ricardo García Villoslada i Miquel Batllori. A la p. 13 i ss., en efecte, llegim sota l'epígraf *«Il primo filosofo laico»*, que el nostre escriptor va ser «il primo filosofo prettamente umanista non solo della Catalogna, ma anche di tutta l'intera penisola iberica». Metge viu l'angoixa de la natura de l'ànima pròpia dels homes del renaixement i *no* es revela com un escèptic anticristià. Cal tenir present que fins al cinquè concili laterà (1513) l'Església no defineix com a preceptiva la creença en la demostració de la immortalitat de l'ànima; Metge, en dubtar dels arguments racionals, ens mostra que pertany a la colla d'aquells averroistes que l'esmentat concili desautoritzà. Metge, en definitiva, com tot el XV català que insinua dubtes religiosos, «sta fra il Medioevo cristiano averroista e la critica filosofica rinascimentale». El treball es pot llegir actualment a *Humanismo y Renacimiento* (Barcelona: 1987). Cada cop veig més clar que Metge només pot ser posat seriosament en relació amb l'averroisme llatí en els termes estereotipats de què parlo als apartats 1.*B*, 1.*C* i 2.*C* dels «Addenda». Metge té poc a veure amb els ambients universitaris on es debatia l'averroisme: per a ell, Siger segurament era al cel al costat de sant Tomàs, com assegura Dante. Vegeu P. Dronke, *Dante and Medieval Latin Traditions* (Cambridge: 1986), pp. 92 ss.

[83] Lluís Nicolau d'Olwer a «Notes al primer diàlech de Bernat Metge», *EUC*, III (1909), 429-44, presentà el primer estudi sistemàtic de continguts del diàleg filosòfic per excel·lència de *Lo Somni* i acabà amb una sentència que s'ha anat acceptant tàcitament o explícita: «I és que Bernat Metge, defensor a cada plana d'opinions contradictòries, amaga baix aquesta forma de diàlech, que tant bé li escau, un dels esperits més fondament *escèptics* que produís el seu temps, may tant en caràcter com al escriure aquell *Sermó*, veritable testament d'un *descregut*» (p. 444). Els subratllats

sòfica de Metge no cal esforçar-s'hi gaire: un home que es presenta com un conversador lúcid, agut, llegit i sobretot enginyós i brillant, que practica contínuament la paròdia i la ironia, que defuig tot compromís ideològic des del moment que accedeix a donar fe a certs principis mentre per darrera ens va dient que no, que no ens el creguem, no és, al nostre entendre, precisament el que tradicionalment se'n diu un filòsof recercador de veritats.[84] Tal vegada Metge pertany més aviat *sub specie aeternitatis* a la raça de certs assagistes amants del funambulisme mental; però, per descomptat, el missatge vital del seu epicureisme és d'un simplisme i d'una pobresa aclaparadors. No, no és pel cantó dels continguts de pensament que trobarem la innegable grandesa de Metge.

---

són nostres; noteu la descrepància de judici amb les valoracions d'historiadors de la filosofia de la nota anterior. Insistim a veure Metge com un literat i no com un pensador, però advertim que alguns que ho han fet així mateix, li han atribuït una representativitat que no sabríem justificar; heus ací que Mario Casella, el 1919, en un text que, per cert, sembla ignorar Nicolau («Il *Somni* de Bernat Metge e i primi inflʌssi italiani sulla letteratura catalana», *Archivum Romanicum*, III, 145-205) afirma que Metge expressa de manera «rudimentale» (p. 146) les aspiracions de la burgesia a exercir la «speculazione filosofica e razionale» (p. 181) gràcies al clima de crisi del Cisma, que «disfrena le energie dell'individuo verso la conquista dei valori umani contro ogni formalismo nella concezione del mondo e della vita» (*ibid.*) Hem de fer notar tan sols que, si ens prenem això al peu de la lletra, el missatge de Metge, el del *Sermó*, naturalment, predica la llei de la jungla a l'estat més salvatge; no oblidem que Metge no afirma mai si no és per negar alguna cosa o amb un condicionant irònic. No tenim la sensació de trobar-nos davant d'una filosofia seriosa. Vegeu la nota següent.

[84] Que Metge tracti el tema de la immortalitat de l'ànima, un dels centrals de la filosofia del renaixement i dels escrits dels humanistes, segons que ens expliquen profusament Eugenio Garin i P. O. Kristeller (vegeu concretament, d'aquest darrer, «Il Rinascimento nella storia del pensiero filosofico», *Il Rinascimento. Interpretazioni e problemi* (Bari: 1979), pp. 151-79), no és motiu suficient per a fer d'ell un filòsof original i renaixentista. Metge és un intel·lectual que maneja idees amb habilitat i astúcia, però la primera intenció de les seves obres no és l'especulació conceptual ni la recerca d'idees vàlides per elles mateixes. El fet que hom l'hagi pogut veure com el primer filòsof laic de la península (nota 82) i com l'iniciador de l'escepticisme o del pensament burgès (nota 83) ens sembla una dada suficientment reveladora i que juga clarament a favor de la nostra tesi.

X. EL MÉS ENLLÀ I LA POESIA

Antoni Vilanova en un article citat a la nota 2 sobre la «gènesi de *Lo Somni*» ja va fer notar la complexitat del teixit de fonts que trobem al darrera de la nostra obra; deixant de banda els textos teològics, filosòfics o literaris puntualment usats per a construir sobretot (però no únicament) el diàleg de la immortalitat de l'ànima (vegeu els estudis citats a les notes 67 i 83 i les referències recollides a *Obras*), l'obra mestra de Bernat Metge és bastida a partir de quatre textos, el *Somnium Scipionis* de Ciceró comentat per Macrobi, la *Consolació de Filosofia* de Boeci, el *Secretum* de Petrarca i el *Corbaccio* de Boccaccio (p. 123). Els fragments i les idees presos de tots quatre són discontinus i, així com els tres primers constitueixen fonts declarades,[85] el quart és silenciat com hem comentat a l'anterior nota 71. Aquestes obres presenten, tal com hem fet notar en el cas de Boeci (vegeu l'apartat v), un cert paral·lelisme biogràfic amb la peripècia vital de Metge i conflueixen en el model de la visió en somnis; cal afegir-hi només un cinquè títol descobert per Riquer a principis dels anys seixanta, el *Somnium super materia scismatis* d'Honoré Bouvet,[86] que no fa més que reblar el clau del model en qüestió. La visió en somnis, en què l'aparegut d'alguna manera regenera l'esperit del visionari, és un procediment literari elegant per a l'exposició

---

[85] Pel que fa a Macrobi, vegeu p. 202, 11-20; pel que fa a Boeci, vegeu els nostres comentaris al *Libre de Fortuna e Prudència* als apartats IV i V i l'article de Vilanova, pp. 133-40; pel que fa a Petrarca, p. 160 d'*Obras*, i per tots plegats, *ibid.*, pp. *152-*157.

[86] Vegeu *HLC*, vol. II, pp. 420-2 i M. de Riquer, «El *Somnium* de Honoré Bouvet (Bonet) y Juan de Aragón», *AST*, XXXII (1960), 229-35. Joan I dialoga en somnis amb Honoré Bouvet en aquesta obra, escrita el 1393 per un autor que coneix la cort catalano-aragonesa, i publicada per Ivor Arnold, *L'apparition de Maistre Jehan de Meun et le Somnium super materia scismatis d'Honoré Bouvet* (París: 1926). Riquer, a *HLC*, vol. II, p. 421, assenyala que Joan I s'excusa de no lluitar contra el cisma perquè el seu país és bastant ingovernable i té la qüestió de Sardenya pendent; «sumus ergo rex per hunc modum; magis videmur consocii quam regnantes» (p. 73). El rei també diu a Bouvet que els catalans són gasius com rates de muntanya i que només pensen a estalviar: «de ventre non curant». No sabríem dir si aquesta versió del lloc comú de l'*avara povertà* lliga o no amb la set de riqueses manifesta al *Sermó* i amb l'«epicureisme» de Metge i els seus amics.

de palinòdies i penediments, que evita els pintoresquismes d'un viatge imaginari (vegeu el cas del *Libre de Fortuna e Prudència*), però té un inconvenient en el cas de Metge: el joc literari exclou el tractament del tema del més enllà com a realitat objectiva, ja que els emissaris que en vénen, aŀlegòrics o difunts, de fet entren en el text a través de la ficció d'una aŀlucinació i no de la ficció d'un viatge com a la *Divina Comèdia*. Per això Metge, que com a epicuri havia negat la transcendència segons que es desprèn de les seves obres, ha de fer entrar com sigui en la seva retractació el tema de la realitat objectiva de l'infern; el pretext és Orfeu, que simbolitza alhora la música que féu pecar Joan I i l'experiència del més enllà en vida (vegeu la nota 69).

El Metge crític, docte i enginyós que se'ns presenta a *Lo Somni* no pot apuntar-se al viatge de Ramon de Perellós al purgatori de sant Patrici de la boirosa Irlanda. Prou que sabem que tots dos havien de demostrar que creien en el mes enllà de càstig o de premi de la conducta moral empesos per unes mateixes circumstàncies. Perellós tria de convèncer l'auditori a cops de vera veritat de muntaneriana memòria i, tot i que confia a un text preexistent, el tractat *De purgatorio sancti Patricii* d'Hug de Saltrey, la prova definitiva de la seva estada a l'infern, de fet identifica la literatura amb el model de les cròniques catalanes; és a dir amb un relat de coses viscudes, exemplars i certes. D'aquí que, entre altres coses, es prengui la molèstia d'anar fins a Irlanda de debò: si ell mostra que comprova *de visu* la llegenda de la cova de sant Patrici, bé caldrà que li donem fe.[87]

Per a Metge tot és més senzill i més complicat alhora. Farinelli, que no s'estalviava exabruptes parlant de Metge, diu que el nostre escriptor «s'immagina una cosmologia infantile, che nulla ritrae dall'ardentissima, geniale concezione dantesca»;[88] ja va dir Nicolau en el seu dia que l'infern de

---

[87] Per al *Viatge al purgatori*, vegeu l'edició citada a la nota 42 i *HLC*, vol. II, pp. 309-33. La nostra insistència en els models cronístics de Perellós no exclou, naturalment, les seves actituds cavalleresques de font no solament literària: un món perfectament estrany als horitzons mentals de Metge. Vegeu el meu «Verdad i literatura en las crónicas medievales catalanas: Ramon Muntaner», *Dispositio*, X (1987), 29-41.

[88] *Appunti su Dante in Ispagna nell'età media* (Torí: 1905), p. 28. Vegeu la duresa dels judicis sobre *Lo Somni*, vist com a un mer plagi desgavellat i absurd de Boccaccio a «Note sulla fortuna del *Corbaccio* nella Spagna medievale», *Bausteine zur romanis-*

Metge no és dantesc sinó virgilià.[89] Afegim que el suposat «infantilisme» de Metge és fruit ni més ni menys, com veurem, del seu esforç a adaptar-se a les creences sobre el tema sancionades per la tradició. El nostre escriptor, en efecte, tot just pretén de mostrar que admet allò que en termes generals era considerat prudent de creure a propòsit del més enllà: el que podem llegir al llibre segon a propòsit del judici particular de Joan I, amb dimoni, àngel i intercessió salvadora de la Mare de Déu (pp. 236-49) i el que el tercer ens exposa per boca d'Orfeu com a resposta a les quatre preguntes sobre la configuració del més enllà que formula el secretari reial a les pp. 274, 29-32 i 276, 1-7. El mític cantaire no vacil·la a contar que hi ha tres indrets al més enllà; al seu, que és l'infern, li nega perspectiva sobre els altres dos, dels quals Metge pot tenir coneixement a través del que li ha contat el rei Joan, que és al purgatori, i del fet que és sabut que la glòria del paradís cal identificar-la amb la contemplació de Déu (p. 276, 8-14).

La geografia infernal virgiliana evocada més amunt (pp. 268-74), que Metge troba «nova i inoïda», fent-se, com sol, l'ignorant de les lletres paganes quan tradueix fragments coneguts de clàssics (p. 276, 29), rep ara la justa interpretació al·legòrica que en bona llei li escau. Els déus infernals són dimonis com a Dante, ja que es tracta d'éssers de ficció creats pels poetes que parlen de coses veres darrera d'integuments i figures que són com l'escorça de la veritat (p. 276). És significatiu de veure com Metge, seguint Boccaccio,[90] defensa aquí les ficcions dels poetes, que segons Orfeu són la millor manera d'imaginar-se un més enllà que la teologia oficial deixava, de fet, força desdibuixat.[91]

───────────

chen Philologie. Festgabe für A. Mussafia (Halle: 1905), p. 410 ss. (i a Italia e Spagna (Torí: 1929), vol. I, pp. 91-386, especialment 278 ss. i 331-52).

[89] «Apunts sobre l'influència italiana en la prosa catalana», EUC, II (1908), 178.

[90] De genealogiis deorum gentilium, llibre XIV, cap. XXII; veg. Obras, p. 277 i «La génesis» de Vilanova, p. 140.

[91] Aquesta és l'opinió d'Étienne Gilson, Dante et Béatrice (París: 1963), pp. 40 ss.; segons Gilson, el llibre VI de l'Eneida explicava als medievals allò que sant Tomàs no els arribà a aclarir. Vegeu també Pierre Courcelle, «Les pères de l'église devant les enfers virgiliens», Archives d'Histoire Doctrinale et Littéraire du Moyen Âge, XXII (1955), 5-74: «les Pères du IIIe au XIIe siècles ont donc lu Virgile avec la plus grande affection, l'ont utilisé souvent avec une complaisance ou une ingéniosité excessives» (p. 69).

I amb això ens hauríem d'acontentar, però Metge introdueix encara la discussió sobre la textura física de les penes de l'infern (si el foc i el gel actuen sobre les ànimes individualment) i sobre la localització concreta del lloc de les penes. Orfeu es fa pregar abans de donar una resposta a aquestes preguntes i Tirèsias fa una de les seves entrades autoritàries i talla el diàleg (p. 280, 5-7). Clarament Metge ha d'evitar de concretar massa el sentit literal de les al·legories, però seguint sant Gregori en un passatge dels *Diàlegs* que no ens consta que hagi estat notat,[92] s'avé a dir que el foc és u però divers segons les penes dels pecadors i que l'infern és sota terra. L'episodi acaba amb un típic acudit de Metge, quan, adoptant una actitud manllevada de la ingenuïtat extrema i angelical del deixeble Pere de sant Gregori, gosa sostenir amb bastant mala intenció que les coves que hi ha sota terra li sembla que es comuniquen les unes amb les altres i que no condueixen a cap món espiritual (p. 280).

D'aquesta manera el dubte queda obert, perquè el diàleg, com hem dit, és violentament desviat per Tirèsias cap al tema de les dones. De fet la suspensió del judici sobre l'accés a l'infern a través de coves, tal com queda plantejat, rebat bastant clarament la pretesa anada de Ramon de Perellós al més enllà de la pena per aquest procediment. Metge, doncs, no està disposat a justificar la manipulació que fa Perellós de la literatura de model cronístic i prefereix de treballar a partir de la teoria dels integuments, una teoria que, si al segle XII havia pogut ser tinguda per científica,[93] en mans del nostre autor és sobretot una teoria literària; ni més ni menys que una mostra de la defensa de les virtuts filosòfiques de la poesia que Boccaccio esbombà al llibre XIV de les seves *Genealogie deorum gentilium* i que estava destinada a tenir tant d'èxit entre els escriptors peninsulars del segle xv.[94]

[92] Citem per la traducció catalana esmentada a la nota 73. Es tracta del cap. XLIV del llibre IV, «Si en infern ha I foc ho diverses focs» (pp. 100-1), i del cap. XLIII, «En qual loc devem creure que sia imfern» (pp. 99-100).

[93] Vegeu la nota 91. Aquest «cientifisme» el pensem referit a la filosofia neoplatònica del XII anterior a l'era de la lògica escolàstica; vegeu M.-Th. d'Alverny, «Le cosmos symbolique du XIIe siècle», *Archives d'histoire doctrinale et littéraire du moyen âge*, XX (1953), 31-81, i M. D. Chenu, «Involucrum. Le Mythe selon les théologiens médiévaux», *ibid.*, XXII (1955), 76-9.

[94] A Catalunya l'elogi de la poesia que fa Boccaccio al llibre XIV de les *Genealogie deorum* és encara el cavall de batalla de Francesc Alegre a cent anys de distància

XI. FINAL

Antoni Vilanova a la pàgina 147 del seu article repetidament citat sobre la «gènesi de Lo Somni» — article escrit abans de l'exhumació de les acusacions de corrupció de Metge — afirma: «En ningún pasaje de Lo Somni podemos encontrar, en boca del secretario real, una retractación categórica de sus errores o un auténtico arrepentimiento de sus propias culpas». Tots els qui, de Nicolau a Riquer, dediquen un espai a parlar de l'escepticisme de Metge de fet subscriurien aquestes paraules. És a dir, que definitivament Lo Somni, que és una obra literària concebuda sobre els models de Ciceró, Macrobi, Boeci, Petrarca i Boccaccio ja citats, els quals comporten un exercici de confessió i reforma espiritual del jo que els protagonitza, contràriament al que pot semblar en una lectura superficial i condicionada per les seves fonts il·lustres, aconsegueix d'escapar-se com una anguila de les veritats i creences que aparenta voler defensar. No volem valorar ara novament els efectes pràctics d'aquest «engany» literari, com ja hem fet en certa manera a l'apartat v i com fa en un altre sentit Riquer (Obras, pp. *169-*173); tant si la falsa palinòdia de Lo Somni va contribuir com no a la rehabilitació com a secretari reial de Metge, la seva singularitat literària queda incanviada i diríem que respon plenament al programa d'ús de la literatura que hem exposat més amunt a l'apartat suara esmentat.

Cal dir, doncs, en primer lloc que, contra Farinelli i Casella, que en lloc de Metge llegien Boccaccio traduït a trossets,[95] Lo Somni no és solament original, construït i coherent, sinó que instaura un model nou de literatura vulgar que resulta tan estrany com tot allò que es presenta per pri-

---

de Lo Somni; així consta als pròlegs i als epílegs de les seves Transformacions ovidianes, publicades a Barcelona el 1494, que van acompanyades d'unes al·legories de marca totalment boccaccesca: vegeu el text 6 del present volum, especialment l'apartat III, i el meu treball «Per la presència d'Ovidi a l'Edat Mitjana catalana amb notes sobre les traduccions de les Heroides i les Metamorfosis al vulgar», Studia in honorem prof. M. de Riquer, vol. I (Barcelona: 1986), pp. 79-110. Pel que fa a Castella, vegeu la informació que reuneix Ottavio di Camilo al capítol III, «Teorías poéticas durante la primera mitad del siglo xv», del seu llibre El Humanismo castellano del siglo XV (València: 1976), pp. 67-110. Per als orígens de la concepció boccaccesca de la poesia-teologia, vegeu Carlo Muscetta, Boccaccio (Bari: 1977), pp. 329-36.

[95] Vegeu les notes 71, 83 i 88.

mer cop. El model en qüestió comporta, com ja hem dit, el descobriment de com es pot transformar la traducció dels grans autors llatins o italians en una nova literatura adequada als gustos d'un públic determinat que ens cal identificar amb una cosa tan reduïda com el cercle d'amics personals de Bernat Metge (remetem a l'apartat II per als dubtes sobre la continuïtat d'aquest públic capaç de valorar *Lo Somni* més enllà del cercle esmentat). El nou ús de la traducció per part del nostre autor comporta una discussió oberta amb els textos manipulats. Com diu justament Antoni Vilanova a la pàgina 145 del seu article, «Bernat Metge, además de la imitación literal, emplea a menudo una técnica de contraposición y de antítesis».

Per tot el que hem dit al llarg d'aquest treball, creiem que es pot sostenir, a tall de conclusió, que Metge hauria pogut manllevar un vers de Juan Ruiz, l'enginyós arxiprest castellà, per a fer de colofó a la seva obra completa: «de juego e de burla es chico breviario».[96] Un autor que té com a procediment literari fonamental la paròdia és ben digne de ser definit així mateix. En efecte, la paròdia explícita del *Sermó* i de la *Medecina* s'insinua subtilment a *Lo Somni* fins a fer-lo esdevenir, com hem vist, la negació d'allò que aparenta ser. Voldríem apuntar dues reflexions a propòsit d'això.

En primer lloc, una inferència de caràcter literari. Mil anys gairebé rodons separen la redacció de les *Confessions* de sant Agustí de la de *Lo Somni* de Metge.[97] El nostre autor, que dúctilment acata el model autobiogràfic d'una palinòdia amb metànoia inaugurat per Agustí i reforçat per Boeci i Petrarca, com hem comentat més amunt, juraríem que sent una cosa així com l'enuig d'aquests mil anys de coherència doctrinal. La seva reacció és doble: per una banda, trasllada al vulgar rude i illiterat que ell diu que li és propi un esforç de perfecció estilística que unànimement li ofereixen tots els models llatins; per l'altra, es riu tant com pot d'aquests mateixos reverendíssims models llatins. Totes dues coses produeixen un plaer considerable a Metge i als lectors que l'apreciem, un plaer que potser el podríem qualificar d'epicuri però que a nosaltres ens revela sobretot una cosa: *Lo Somni* neix en un ambient cultural saturat de literatura, fins al límit que, posat a produir, destilla ja només jocosa burla de la literatura mateixa. To-

[96] Vers segon de la cobla 1632, edició citada a la nota 22, p. 553.
[97] Les *Confessions* són escrites el 397, quan Agustí acabava d'assolir la dignitat episcopal.

ta aquesta plaent felicitat emanada de la manipulació gloriosa de les belles lletres, però, ¿en quin lloc deixa la responsabilitat moral de l'escriptor?

Aquestes preguntes ens porten a la segona reflexió anunciada: en l'obra de Metge manca totalment una interiorització emotiva que condueixi el lector davant del drama moral de l'individu a què ens té acostumats Francesco Petrarca o, més tradicionalment, que ens condueixi davant de la consciència de pecat, ras i curt. Metge o bé practica el capgirament paròdic ja descrit al *Sermó* (el bo és dolent i el dolent és bo) o bé defensa entre picades d'ullet i ganyotes una colla de veritats i creences que li convenia de fer veure que admetia per a defensar els seus, diguem-ne, interessos de funcionari. En tots dos casos el pensament de Metge és tremendament esquemàtic, descarnat, lineal i cenyit a l'antítesi: som al pol oposat del clima líric de les obres que presenten una autèntica retòrica confessional, com ara el *Secretum*, posem per cas. El personatge Metge, que és sempre en escena a través del jo literari, aconsegueix d'oferir-nos un bell retrat d'ell mateix que, en última anàlisi, ens porta, com hem vist, a l'home crític, docte i sobretot enginyós; vaja, a l'home que ens té entretinguts una estona amb els seus jocs verbals i conceptuals i que després se'ns esmuny de les mans amb una riallada. ¿Què sabem, si no, de com Metge vivia la famosa crisi de valors de la tardor de l'edat mitjana, de l'*ausgehenden Mittelalters*?[98]

Per descomptat no tenim cap dret a establir una relació de causalitat entre els depriments judicis de Marina Mitjà sobre el clima moral del regnat de Joan I, recollits a l'anterior nota 15, i la «filosofia» implícita del *Sermó* i, per extensió, de *Lo Somni*. Ja hem dit a l'anterior nota 83 que, contràriament a les opinions de Casella, no podem veure de cap manera en *Lo Somni* el germen d'una nova ètica, ni burgesa ni de cap altra mena. No l'hi podem veure, entre altres coses, perquè els procediments literaris usats per Metge tendeixen precisament a evitar que la seva obra pugui ser cap altra cosa que un enginyosíssim i genial *divertimento*. El *divertimento* d'un home culte, crític, maliciós, que té tanta fe en la paraula que gosa usar-la per a jugar impunement amb el més sagrat sense agafar-s'hi els dits, perquè la literatura, segons Metge, és precisament l'art de ser «de natura d'anguila».

[1983]

[98] Ens referim al llibre de Rudolf Stadelman, *Vom Geist des ausgehendes Mittelalters* (Halle-Saale: 1929). Traducció italiana, *Il declino del Medioevo* (Bolonya: 1978).

ADDENDA

D'ençà que vaig posar el punt final a les pàgines que precedeixen ara fa quatre anys, no he deixat de donar voltes a la possibilitat d'avançar seriosament en la caracterització cultural i moral de Bernat Metge i he anat reunint notes per escriure un segon treball, centrat fonamentalment en la discussió dels llibres finals de Lo Somni. Recentment la tesi doctoral de Rosanna Cantavella, presentada al Departament de Filologia Catalana de la Universitat de València el juliol del 1987, ha aportat algunes apreciacions substancioses a la discussió literària entorn de la dona a l'Edat Mitjana catalana: s'hi pot llegir un capítol dedicat a l'obra de Bernat Metge que ens interessa i que, en part, ja compleix la funció del segon article que esmentava. En tot cas, crec convenient d'ajornar-ne la redacció, tenint present també el que he expressat al pròleg, actualment en premsa, a l'edició castellana de Lo Somni, que publicarà la «Biblioteca de Cultura Catalana» d'Alianza Editorial i Enciclopèdia Catalana. Tanmateix hi ha algunes petites coses que es poden apuntar a tall de mer suggeriment; encara que només sigui per donar testimoni de la molta feina que queda per fer en el terreny de la interpretació dels textos medievals catalans, començant pels més il·lustres. Es tracta de lectures comparatives que he organitzat en tres sectors: 1) notícies diverses sobre l'«epicureisme» tardomedieval; 2) notes sobre actituds descregudes; 3) un tast del que Eiximenis ens pot ensenyar sobre Bernat Metge.

I.

A.   Quan redactava el text 6 del present llibre vaig haver de llegir amb atenció Les troianes de Sèneca; fins aleshores no havia parat esment en el parlament del cor dels vv. 371-407, en els quals s'exposa diàfanament la idea que cap part del ser humà no sobreviu a la mort («Post mortem nihil est ipsaque mors nihil» v. 397) i que no hi ha un més enllà de pena (el regne que custodia Cerber pertany als «rumores uacui uerbaque inania», v. 404). Es tracta, tanmateix, d'un text prou conegut (el cor «epicuri» de Les troianes); però, sobretot, es tracta d'un text que podia ser llegit pels homes cultes del Tres-cents català, com ho prova fins i tot l'existència d'una versió local de l'obra senequiana que ens ocupa (vegeu les notes 23, 65, 66 i 71 de l'esmentat text 6 del present volum). Bernat Metge, a la pàgina 172, 18-24 del llibre primer de *Lo Somni*, intercala, entre dos manlleus dels *Diàlegs* de sant Gregori i després de la famosa sentència sobre el fet que només creu el que veu, el següent text:

> — Digues — respòs ell —; abans que vinguesses en lo món, ¿què eras?
> — So que seré aprés la mort — diguí jo.
> — ¿E què seràs?
> — No res.
> — Donchs, ¿no res eras abans que fosses engenrat?
> — Així ho cresch — diguí yo.

Es per això que no pot no cridar l'atenció que el cor de Sèneca acabi (vv. 406-407):

> quaeris quo iaceas post obitum loco?
> quo non nata iacent.

[¿Preguntes en quin lloc jauràs després de la mort? On jeuen els qui no han nascut.]

I encara crida més l'atenció com comença en la seva versió original (reportada a la nota 8 de Riquer) el text gregorià que Metge adapta a continuació del nostre fragment «epicuri»:

> Audenter dico, quia sine fide neque infidelis uiuit. Nam si eumdem infidelem percunctari uoluero, quem patrem ...

[I goso dir que sense fe ni tan sols l'infidel no pot viure. Perquè si li volgués demanar a aquell mateix infidel qui és el pare ...].

L'infidel que no sap que té alguna mena de fe és evidentment el mateix que afirma que, després de mort, serà el que era abans de néixer: ¿com Sèneca parafrasejant Epicur, parafrasejat al seu torn per Metge? Afegiu, de moment, a l'anterior nota 77, el possible paper de Sèneca en la transmissió d'una noció d'«epicureisme» potser més nítida que les altres fonts que s'hi esmenten. Només cal llegir la segona de les *Lletres a Lucili*, un altre text conegut dels nostres lectors cultes tres-centistes, per a estar segurs que l'esmentat autor llatí es complaïa a fer ràtzies en els terrenys de l'enemic (és a dir Epicur) «non tamquam transfuga, sed tamquam explorator» [no com a desertor, sinó com a explorador].

B. L'«epicuri» descrit a l'anterior apartat IX, cínic, descregut, ateu, escèptic, nihilista, amoral, lliure pensador i passota, l'he trobat atacat pels predicadors de la baixa edat mitjana en tots els contextos imaginables: senyal que proliferava. No em puc estar de copiar un passatge del dominicà Giordano da Pisa, tret del seu *Quaresimale fiorentino, 1305-1306*, editat per C. Delcorno (Florència: 1974), p. 44, en el qual els epicuris esdevenen, per a l'ocasió, els enemics del dejuni:

> Prese Cristo armi di digiuno per dare exemplo a ·tte e per mostrarti com'egli è santo e com'egli è utile, e per tòrre via quello errore degli epicurii. L'Epicurio dannò il digiuno, e fu nemico de l'astinenzia, e disse che non si dee fare l'uomo nulla astinenzia al corpo suo, né di mangiare, né di bere, e dice che cosí sarebbe peggiore che quegli che uccidesse gli uomini, però che peggio è uccidere sè che altrui. Dunque il digiuno disse ch'è mala cosa, e non si dee fare. A tòrre Cristo questo grande errore, si volle digiunare ...

He tingut l'oportunitat de topar-me amb altres testimonis dominicans que associen Epicur amb la golafreria; fins i tot amb miniatures del XV on es pot veure una taulada de pecadors en acció (per exemple en un manuscrit de la versió francesa de l'*Orloge de sapience* d'Enric Suso).

C. L'«epicuri», però, es caracteritza sobretot per la negació de la transcendència, i en aquest sentit arriba a ser identificat amb un altre model fixat de pervers tardomedieval: l'«averroista». Una ràpida ullada a la bibliografia lul·liana ens proporciona una informació preciosa. Llull era a París quan pel març de 1310 el rei Felip i els seus consellers intentaven demostrar que el papa Bonifaci VIII havia estat un heretge. Les acusacions eren les que habitualment s'atribuïen als «averroistes», contra els quals el nostre beat es barallava en aquell període: negar la immortalitat de l'ànima, burlar-se de la resurrecció dels morts, considerar que el cel i l'infern no són res. Vegeu la documentació de l'episodi al pròleg d'Helmut Riedlinger a les *Raimundi Lulli Opera Latina*, V (Palma de Mallorca: 1967), p. 130. Per això sona familiar la descripció de la mentida, present al sermó 136 del *Liber de virtutibus et peccatis* de Llull (*Raimundi Lulli Opera Latina*, XV (Tournhoult: 1987), p. 431:

> Homo mendax dicit, quod homo non potest resuscitari, nec potest durare in caelo aeterne, nec in inferno in igne aeterne. Et uerum dicit secundum corpus humanae naturae; sed non dicit uerum secundum corpus divinae naturae.

> [L'home mentider diu que l'home no pot ressuscitar, que no pot romandre eternament en el cel, ni a l'infern en el foc eternament. I diu la veritat segons el curs de la natura humana; però no diu la veritat segons el curs de la natura divina].[1]

Els enemics de la fe tots acaben caracteritzats amb els mateixos trets; tractar-los despectivament d'«averroistes» o d'«epicuris», ¿respon a dues tradicions tres-centistes diferents, una de parisenca i una d'italiana? Caldria verificar-ho.[2] En qualsevol cas, es tractava d'heretges, com diu Eiximenis (vegeu 3.*B* més avall) i com no vaig saber trobar en Eimeric, tal com explico a l'anterior nota 77; Metge, parlant d'epicureisme explícitament, ¿hauria volgut passar per un heretge redimit adscrit a una més elegant i literària versió italiana de la qüestió?

2.

A.   Quan al final de l'apartat III de l'article anterior em sagnava en salut

---

[1] He traduït «corpus» per «curs» perquè aquest text llatí de Llull és una versió feta a partir del català, que conté aquí un error evident: «cors», procedent de «cursus», ha estat confós lamentablement pel traductor amb «cors», procedent de corpus.

[2] Huizinga sentencia a *El otoño de la Edad Media* (Madrid: 1971): «En estos casos espontáneos de incredulidad hay, por un lado, el paganismo literario del Renacimiento y del epicureismo culto y cauto que, ya en el siglo XIII, había florecido en tantos círculos bajo el nombre de Averroes. Por otro lado hay la negación apasionada de los pobres herejes...». Crec que «epicureisme» i «averroisme», com a sinònims del que aquest autor anomena «incredulitat espontània» (que és la de Metge), són termes que del XIII al XV responen més aviat a etiquetes que hom aplica des de fora a determinades actituds relaxades i burletes davant de l'ortodòxia, que no pas a autèntics cossos teòrics relacionables seriosament amb coses tals com «el paganisme literari del Renaixement» (concepte que caldria prendre *cum grano salis*), el pensament d'Epicur o el d'Averroes.

observant que la superficialitat de les meves recerques m'impedia de do-
nar valor probatori al fet de no haver trobat a l'Edat Mitjana textos que
«arribin a insinuar brutalment, com Metge ho fa, la negació de la transcen-
dència», em volia concedir la possibilitat d'una retirada estratègica. Em
complau de comprovar, en primer lloc, que, pel que fa al continent del
fabliau, les meves assumpcions funcionen. Almenys m'ho fan pensar
aquests fragments de Philippe Ménard, *Les Fabliaux, contes a rire du moyen
âge* (París: P.U.F., 1983), pp. 140-2:

> Nous sommes dans un monde où l'on n'est pas gêné par des interdictions et des
> contraintes: tout semble permis. A l'idée que la nature humaine est corrompue,
> que les pulsions sexuelles sont mauvais penchants à réprimer s'est substitué
> une autre système de valeurs: la recherche du plaisir et la jouissance immediate.
> Les protagonistes des fabliaux pourraient dire comme les héros de *Martin Ha-
> part*:
>
> > Il n'est paradis fors deniers
> > et mengier et boire bon vin
> > et gesir sus draps desliez.
> > (M.-R., II, 174)
>
> Même si ce texte est un dit, et non un fabliau, l'affirmation matérialiste ré-
> pond bien à l'esprit de la plupart des contes à rire. Dans les fabliaux l'homme
> vit sans autre dieu que son plaisir.
> Cela ne signifie point qu'au plan religieux la foi chrétienne soit mise en
> doute, que les dogmes soient contestés et le culte négligé. La croyance aux
> saints, aux rites, aux reliques, les mentions de Dieu sont sans cesse présentes.
> Mais dans la vie pratique la morale chrétienne est joyeusement oubliée ... Les
> conteurs ne cherchent pas à ruiner les antiques valeurs chrétiennes, à faire l'a-
> pologie de l'amour libre, du concubinage ... La gaîté exige qu'on laisse la mora-
> le entre parenthèse ...

B.   També em complau, en un altre sentit, d'haver ensopegat gràcies a
l'erudició de Peter Dronke, amb un «epicuri» cortesà del XII bastant «de
natura d'anguila»: pot ser pres com un punt de referència per a explicar-
nos la figura de Metge a partir de precedents medievals i no del futur renai-
xentista. Transcric com a mostra del tarannà de l'escriptor cortesà que ens

interessa, Pere de Blois, l'estrofa 8 del «Quod amicus suggerit», un *Dialogus inter dehortantem a curia et curialem*:[3]

> Grata est in senio
> religio,
> iuveni non congruit;
> carnis desiderio consencio,
> nullus enim odio
> carnem suam habuit.
> Neminem ab inferis
> revertentem vidimus–
> certa non relinquimus
> ob dubia;
> sompniator animus
> respuens presencia
> gaudeat inanibus–
> quibus si credideris,
> expectare poteris
> Arturum cum Britonibus!

[Per al vell és agradable la religió, al jove no li escau. Aprovo el desig de la carn: ningú no ha odiat mai, en efecte, el seu cos. Mai no hem vist ningú que tornés de l'infern — no hem pas d'abandonar les coses certes per les dubtoses; deixem que els somniatruites ignorin el que els és present i gaudeixin de vacuïtats — que si te les creus, ja et pots posar a esperar la vinguda d'Artur i dels bretons.]

Aquestes paraules són posades en boca d'un cortesà — *curialis* — en resposta als avisos del *dehortans*, el conseller moral que intenta allunyar-lo dels perills de la corrompuda vida del segle. Tot el poema és una autèntica perla, però aquesta estrofa en concret sembla resumir molt clarament aquells principis del *Sermó* de Metge que retrobàvem formalment esmentats a *Lo Somni*. Els dos pols del llibertinatge cortesà, segons Pere de Blois, són els mateixos de Metge i els mateixos de l'«epicureisme» / «averroisme»

---

[3] Que segueix el ms. Add. 44, s. XIII, fols. 61r-v de la Bodleiana d'Oxford; vegeu «Peter of Blois and the poetry at the court of Henry II», *Mediaeval Studies*, XXVIII (1976) 185-235, i també *The Medieval Poet and his World* (Roma: 1984), pp. 281-339.

de certs heretges: burla de la transcendència i complaença en els plaers de la carn; i això ja al segle XII.

Dronke comenta que el poema de Pere de Blois, del qual hem transcrit l'estrofa anterior, formula amb molta més nitidesa la visió d'una vida viscuda al moment que cap altre escrit d'aquest autor, que fou successivament secretari d'Enric II Plantagenet i d'Elionor d'Aquitània, i un gran afeccionat a la literatura del *sic et non*. Pere de Blois, que ha estat comparat amb Petrarca per l'ús d'algunes formes de la introspecció, desenrotlla insistentment el tema del desdoblament interior a propòsit de la discussió de temes morals. El lector es troba enfrontat a solucions oposades i es pregunta, perplex, a quina de les dues s'aferra en el fons el poeta. Dronke suggereix sàviament que el millor que pot fer el lector és distingir «between the man experiencing an inner conflict and the artist directing the *ballo in maschera* of his artistically projected selves» (*The medieval poet, op. cit.*, p. 311). Apliquem-nos el suggeriment.

C. És, però, entre els incrèduls de qui parla Huizinga a les pàgines 255-6 de l'edició castellana d'*El otoño de la Edad Media*, esmentada més amunt, on trobem actituds més properes a les de Metge. Així, per exemple, Froissart parla d'un tal capità Bétisac que arenga els seus soldats dient que no creu en Déu ni en la supervivència de l'ànima: «J'ay tenu celle oppinion depuis que j'eus congnoissance, es la tenray jusques à la fin». Notem l'ús del mot *opinió*, amb el qual Metge també juga. Certament el testimoni més valuós que aporta Huizinga en aquest context és el d'Ambrosi de Miliis, de qui Jean de Montreuil diu en una carta que es va convertir a l'ortodòxia cristiana, després d'haver exercit d'incrèdul de forma tal que «al seu costat Epicur hauria d'haver estat considerat catòlic». Ambrosi de Miliis formava part dels nuclis protohumanistes francesos de Nicolau de Clamanges, Gonthier Col i el mateix Jean de Montreuil, amb qui es va barallar més tard; va ser secretari del duc d'Orleans, actiu a començaments del XV (vegeu «*Le Curial» par Alain Chartier, texte français du XVe siècle avec l'original latin* [d'Ambrosi de Miliis], ed. de F. Heuckenkamp (Halle: 1899)).

3.

A. Les comptades persones que han llegit els textos d'Eiximenis saben que són una mina inexhaurible de notícies de totes menes, que poden donar raó de qualsevol cosa que els fos contemporània. El *Dotzè* va ser escrit entre el 1386 i el 1387, deu anys abans del *watergate* successiu a la mort de Joan I; al pròleg de l'edició del primer volum de la segona part d'aquesta obra, (Girona: Col·legi Universitari-Diputació, 1986), pàgina xiv, una mà anònima (que és la meva) escriu:

> Al capítol 483, per exemple, trobem la història d'aquell rei «Palatinus de Lombardia», extreta de la sempre enigmàtica «història llatina», que mor en pecat per culpa del seu confessor, que és un home indigne triat per ell mateix; el rei s'apareix en somnis al papa Ponci per revelar-li el seu estat actual d'ànima penitent que té promès el cel gràcies a la seva devoció mariana. L'aparegut porta un missatge de salvació per als altres prínceps, igual que altres apareguts del capítol 646 i propers, on s'insisteix en la idea del pactisme i es blasmen els monarques avars, governats per mals consellers.

El recurs a les revelacions fetes per apareguts del més enllà és freqüent en la literatura dels predicadors; es podria fer una monografia sobre el tema, que ens mostraria fins quin punt el somni ideat per Metge a la seva obra homònima és més a prop d'Eiximenis i dels sermonadors que tronaven diàriament des dels púlpits que de coses tan sofisticades, per bé que versemblantment conegudes, com ara els somnis cicernià (comentat per Macrobi) d'Escipió i el cismàtic d'Honoré Bouvet, de què parlo a l'apartat x. Les suposades revelacions d'una ànima escapada de l'infern impressionen fàcilment l'auditori dels mendicants: per això els «epicuris» van dient que mai no hem vist que ningú en tornés... Només un testimoni homilètic a l'atzar: el del *Dialogus miraculorum* de Cesari d'Heisterbach, citat per J.C. Schmitt al seu *Prêcher d'exemples* (París: Stock/Moyen Âge, 1985), pàgina 71. L'abat de Morimond, reu de pecat de vanaglòria, morí i ressuscità per fer saber que era al purgatori als pecadors que encara es podien esmenar (I.32). Un sodomita mort torna de l'infern per demanar al seu amant que es confessi a temps (III.24). Pel que he pogut veure, a través dels índexs de Tubach i llegint repertoris d'exemples i sermons variats, l'aplicació del recurs de l'aparegut portador d'un missatge moral de salvació a temes civils i polítics podria ser una enginyosa innovació eiximeniana, hàbilment caçada al vol per Metge per tal de teixir la seva subtil xarxa de persuasió.

B.   Al capítol 603 de l'esmentat *Dotzè* II, 1, Eiximenis ens conta «Quants de mals fa lo tiran»; entre els mals en qüestió s'hi compta el fet de ser enemic d'ell mateix («fa a si mateix innumerables mals»), primer, perquè viu en ira de Déu i segon, perquè augmenta cada dia els seus pecats:

> Terçament, que lo peccat lo sobre e l'encega axí poderosament que fins a la mort viu en propòsit de retenir-se ço que posseex no seu, e perseveraria en aquell propòsit tostemps si tostemps vivia, e ab aquell propòsit se mor [*cf. l'expressió de Metge* «ab aquesta oppinió vull morir», p. 370, 6-7]. De què·s segueix, quartament, que ell scientment se dampna e se·n va a diables axí com a desesperat, e per consegüent és gran dupte, d'om qui axí muyra, que ell no dubte en la fe, *e és dupte que creega altra vida, e per consegüent és dubte que aytal hom no muyra eretge.*
>
> (p. 316, 35-42)

El subratllat és meu: el text associa el concepte d'heretgia al d'incredulitat; veg. 1.*C* més amunt.

C.   Al capítol 552 de *Dotzè* II, 1 de què estem parlant, el tema és «Per què és major la amor que lo pare ha al fill que aquella que lo fill ha al pare». Les raons són diverses; heus ací la segona:

> Segonament o prova per tal car pare e mare són pus certs de l'infant que és lur, que l'infant no és cert que sia lur fill, car *lo fill no u sap sinó per hoyr dir a ells*, mas ells saben per experiència que l'han engenrat. E per tal quant *la mare és pus certa que l'ha agut que no lo pare que l'hage engenrat*, per tal, comunament les mares amen pus los infants que los pares.   (p. 192, 12-16)

El subratllat és meu. L'autoritat que hi ha darrera d'aquesta afirmació és no menys que la d'Aristòtil, *octavo Ethicorum*: Eiximenis no ens enganya, llegiu el capítol XII del vuitè llibre de l'*Ètica a Nicòmac* i ho podreu comprovar; el savi hi diu que els pares estimen els fills immediatament que vénen al món i que els fills estimen els pares tan sols després d'haver estat educada la seva sensibilitat: «això explica també per què les mares estimen amb més tendresa». Reporto aquí la formulació eiximeniana perquè es vegi que certs acudits poca-solta a propòsit de paternitats dubtoses podien aflorar a les ments dels «epicuris» quan escoltaven sermons o lectures edificants. Noteu també que és la literalitat d'una formulació com la d'Eiximenis la que pot haver fet saltar la guspira de l'acudit, i no versions del tema com l'aristotèlica pròpiament dita, molt més eixuta i emmarcada en una justificació metafísica que no he glossat aquí.

D. Una darrera mostra del que ens pot arribar a fer comprendre fra Francesc. El capítol 560 del nostre *Dotzè* II,1 tracta de «Com lo príncep deu ésser vestit de vestidures no excessives ne ab tall desonest»; copio uns fragments escollits:

> E deuen attendre que lo tall sia honest, car leja cosa és en príncep tenir estremps, ço és, que port vestidures tan grans com les fembres e que les se aja a levar alt, axí com a fembra, o que sien tan curtes que aja a ensenyar si matex fins a les bragues.   (p. 209, 19-22)

> ... lo rey de França vaja vestit axí com a doctor ... que aytal tall de vestidura pertany a príncep ... que sia alta en terra per mig palm e no toch a terra per res.   (*ibid.*, 23-25)

> ... e que negun hom de valor e ja menys tot altre no portàs en son vestit ornament fembril, ço és fermalls ne perles ne aur ne fres ne pedres ne armalts ne, en calces, ymatges ne cadenes d'argent ne ornament negun, sinó lo drap sol, sots pena de perdre cavalleria.   (p. 210, 31-35)

> ... Axí matex se ordenà que hom generós que portàs públicament guarlanda de roses o de flors, o qui olgués comunalment a mosquet e a algàlia o a qualque putanyívols odors, o qui·s faés ab maestria clenxa, o·s tocàs a la barba afaytant-la·s, mudant-li la figura, o tolent-la·s de tots punts, que perdés tot privilegi d'om generós e fos gitat de present del loch on era trobat ab aytals coses...   (*ibid.*, 40-46)

Cal posar en relació aquest capítol amb la descripció dels vicis dels homes en el vestir, descrits a *Lo Somni*, pàgines 352-6, i, sobretot, cal meditar sobre el fet que l'autoritat invocada per Eiximenis en els darrers dos punts que he copiat és exactament la de Titus Livi, quan parla —assegura impàvidament fra Francesc— de les disposicions d'Archadi, emperador de Roma, en matèria de fastos cortesans. M'agradaria saber si Metge es podia arribar a creure una enormitat d'aquestes dimensions o no. Seria una manera d'avaluar la seva familiaritat amb una de les tasques més humanístiques dutes a terme per Petrarca: l'edició de les *Dècades* de Livi, traduïda per Pierre de Bersuire al francès i d'aquí per un anònim al català, com és ben sabut.

[1987]

DE LA «REVERENDA LETRADURA» EN EL CURIAL E GÜELFA

> Curial e Güelfa *roman una encantadora història d'amor i d'armes, una narració sentimental i cavalleresca de fresquíssima vena.*
>
> GIUSEPPE E. SANSONE

I. UNA PERSPECTIVA CULTURALISTA

A hores d'ara no podem dir que no hi hagi bibliografia crítica sobre el *Curial e Güelfa*; ni tan sols no podem dir que la que hi ha és insuficient o mancada, perquè, si els diversos estudis que existeixen sobre la nostra novel·la no han aconseguit de resoldre els grans interrogants que planteja (verbigràcia el nom o, almenys, la procedència de l'autor; l'ambient concret en el qual fou escrita; els termes exactes de lectura dels símbols polítics que entranya, etc.), en canvi, han suscitat un bon tou de suggerències crítiques, sovint convergents, d'altres vegades en flagrant contradicció les unes amb les altres. Fins al punt que no és fàcil d'imaginar una síntesi interpretativa de tot aquest material: tampoc no hi aspiro.[1] És més, proposo una cosa molt diferent, que, a primera vista, pot semblar fins i tot ociosa, si el nostre únic objectiu ha de ser dilucidar els misteris abans esmentats;

---

[1] Al llibre d'Anton Espadaler, *Una reina per a Curial* (Barcelona: Quaderns Crema, 1984), hom pot trobar referència de gran part de la bibliografia de què parlem i també el report d'algunes de les dissensions entre les propostes dels diversos autors, sobretot de les que afecten els problemes que assenyalo entre parèntesi. Des de l'òptica que he volgut adoptar en aquest paper m'han estat profitosos els textos d'A. Rubió i Lluch al pròleg de la seva primera edició (Barcelona: 1901) del nostre text; els estudis de Bernardo Sanvisenti, «Su le fonti e la patria del *Curial y Güelfa*, *Studi medievali*, I (1904-1905), 94-106; Giuseppe E. Sansone, «Medievalismo del *Curial e Güelfa*», *Studi di filologia catalana*, Bari, 1963, 205-42; Pere Bohigas, «Curial e Güelfa», *Actes del tercer Col·loqui Internacional de Llengua i Literatura Catalanes* (Oxford: 1976), pp. 219-35; J. Di Francis, «A study of *Curial e Güelfa*», *Actes del Segon Col·loqui d'Estudis Catalans a Nord-Amèrica* (Montserrat: Publicacions de l'Abadia, 1982), pp. 163-78; Regula Langbehn-Rohland, «*Curial e Güelfa*: Los hechos caballerescos y la unidad constructiva de la novela», *Homenaje al Instituto de Filología y Literaturas*

voldria iniciar (o més aviat reprendre) la discussió a propòsit de la part «avorrida» del *Curial,* la part que va fer dir als primers estudiosos de l'obra que era un text «compost»,[2] la part que Riquer troba que l'autor «es podria haver estalviat»,[3] la part que Espadaler evita com el «gat qui passàs tost per brases» de lul·liana memòria.[4] Em refereixo, naturalment, al material corresponent als pròlegs dels tres llibres de l'obra i als excursos diversos, sempre, com veurem, profundament vinculats a la trama de la novel·la, que l'autor de la *Història de la Literatura Catalana* suara citat anomena «Element al·legòric». Per extensió també formen part d'aquest material altres elements narrativament «superflus» escampats per l'obra, tals com citacions literàries o expansions culturalistes diverses. Si seguíssim el quest fins al fons, molt probablement aconseguiríem de dibuixar un bon retrat robot de la formació cultural de l'anònim (revelador de qui sap quines insospitades pistes per a la seva identificació); en una primera aproximació només podrem ventilar unes quantes qüestions relacionades amb el laberint cultural ibèric del segle xv i proposar (no podia ser altrament) una hipòtesi de lectura: l'anònim autor aprofita el material «estalviable» que hem anunciat per a expressar, si fa o no fa, el que en podríem dir la seva poètica.

Hispánicas «Dr. Amado Alonso» en su cincuentenario (1923-1973) (Buenos Aires: 1975), pp. 146-70; també cal citar les pàgines de les històries de la literatura de Rubió i Balaguer i de Riquer i tots els altres títols de les notes que segueixen, sense oblidar l'anotació de Miquel i Planas i d'Aramon a les respectives edicions de 1932 i 1931-1933.

² Comença Milà a «Notes sur trois manuscrits. II. Un roman catalan», *Obras Completas,* III (Barcelona: 1890), pp. 485-492. És inevitable que tots els crítics facin al·lusió a la qüestió; per a alguns és un defecte (Miquel), per a d'altres una invitació a situar l'obra a la tardor medieval (Sansone). Òbviament ens adherim a aquesta segona posició.

3 Riquer amb la seva contundència habitual s'expressa així a *Història de la Literatura Catalana* (Barcelona: Ariel, 1964), vol. II, p. 628. Riquer parla de la novel·la a les pp. 602-31 i de l'«Element al·legòric» a les 627-30; el seu tractament d'aquesta darrera part és ple de suggerències útils, naturalment.

4 De fet, la idea d'escriure aquest treball em va venir llegint el llibre d'Espadaler esmentat a la nota 1, quan vaig comprovar que eludia una qüestió que des de feia temps em semblava crucial per a entendre l'obra que ens ocupa. Vegeu la meva ressenya a *Els Marges,* Núm. 34 (maig 1986), 117-20.

M'avanço encara a aclarir dues qüestions. En primer lloc, que no pretenc d'abordar el tema de la filiació medieval o renaixentista del text. Ja va reflexionar prou a fons sobre el tema Giuseppe E. Sansone per arribar a la conclusió que el *Curial* és «testimonianza felice di un'agonizzante stagione, frutto tardivo nel giardino, oramai quasi sepolto, del Medioevo romanzo».[5] Més aviat em preocuparà, com he apuntat més amunt, la vinculació de la cultura literària de tradició clàssica, el que l'autor anònim del *Curial* anomena «reverenda letradura»,[6] amb el món del pre-renaixement o protohumanisme hispànic en sentit ampli. A Francisco Rico ja li va semblar una pista en aquest ordre de consideracions el fet de detectar un préstec petrarquesc al pròleg de la novel·la: «¿Petrarca para comenzar una novela caballeresca? Pienso que sí (¿no?), y se me antoja un síntoma nada despreciable».[7] D'altra banda, Jeremy N. H. Lawrance, després d'haver comprovat que el curriculum d'estudis atribuït al seu protagonista per l'autor del *Curial* el duu a configurar l'arquetipus de l'home d'armes i de lletres (sostingut per *sapientia* i *fortitudo*), encarnat en tot un llarg repertori d'exemples il·lustres que van de Carles de Viana al Marquès de Santillana, observa que l'aparentment extravagant judici emès per Curial en somnis al Parnàs, a propòsit del valor d'Homer i de Dictis i Dares, «in the fifth-eenth-century context» resulta «more intriguing than a bookish topos. It is a reflection of social reality».[8] Per a aquest darrer crític el *Curial e Güelfa* és senzillament emblemàtic del to mitjà[9] que tenia la pretensió, àmplia-

[5] Veg. *Medievalismo...*, *op. cit.* a la nota 1, p. 242. Vegeu també les introduccions de Sansone a l'edició del *Curial* de «Les millors obres de la literatura catalana» (Barcelona: Edicions 62 i «la Caixa» 1979), pp. 9-16, i a la traducció castellana de P. Gimferrer (Madrid: Alfaguara, 1982), pp. xiii-lxiii.

[6] És l'expressió que, com veurem, usa l'anònim per a referir-se a la cultura humanística, la *ciència* que proporcionen les arts liberals i que, per contraposició a la *sapiència* que ve de les Muses i d'Apol·lo, deriva de Bacus. Vegeu més avall. L'expressió apareix a III, 9 i 16.

[7] Francisco Rico, «Para el *Curial*», *Primera cuarentena y Tratado general de literatura* (Barcelona: Quaderns Crema, 1982), pp. 89-90.

[8] «On Fifteenth-Century Spanish Vernacular Humanism», *Medieval and Renaissance Studies in Honour of Robert Brian Tate*, editats per I.D. Michael i R. Cardwell (Oxford: Dolphin Books, 1985), pp. 63-79.

[9] Vegeu J.N.H. Lawrance, *Un tratado de Alonso de Cartagena sobre la educación y los estudios literarios* (Bellaterra: Publicacions de la UAB, 1979), pp. 7-26.

ment difosa entre la noblesa il·lustrada del segle xv hispànic, de manejar
ideals de virtut cavalleresca derivats de la tradició clàssica. L'exemple que
addueix per a provar-ho és lluminós. Gómez Manrique comenta l'onzena
cobla del seu poema consolatori per a la comtessa de Castro, que era ger-
mana seva, i a propòsit d'una al·lusió a «aquella cibdad muy fuerte troya-
na», observa que segurament la destinatària, tot i ser dona, devia haver
sentit parlar de la *porfía* entre Homer i Dictis i Dares, sobre la qual «no
creo que en la sala de vuestro palacio algunas vezes no se aya debatido».[10]

En segon lloc, reconèixer una vegada més que he trobat en les pàgines
(en aquest cas escassíssimes) que Jordi Rubió va dedicar al text que ens ocu-
pa la majoria dels estímuls per a les meves reflexions sobre qüestions lite-
ràries. «L'autor del *Curial* tenia cultura literària i l'empra reflexivament»,
escriu Rubió, per exemple;[11] i també observa que els tres llibres de la no-
vel·la es defineixen pels seus tres pròlegs com destinats a anar presidits suc-
cessivament per l'amor, les armes i la ciència. No oblida, però, Rubió, els
mèrits estrictament literaris del nostre anònim, que gairebé posa al davant
de Martorell; aquesta defensa comparativa i la insistència en la unitat de
dibuix de l'obra segurament responen al fet que el crític considera, pel da-
munt de tot, el *Curial* com una gran novel·la. És una apreciació que com-
parteixo plenament i que he volgut subratllar amb la citació crítica que en-
capçala aquests papers.

Deixant de banda, però, provisionalment aquesta consideració capi-
tal, la primera observació que salta a la vista, llegint el *Curial* des de la pers-

---

[10] Per a les meves opinions sobre l'episodi del Parnàs, vegeu més avall. Em sem-
bla molt important la documentació que aporta Lawrance del debat de Dictes i Da-
res contra Homer com a lloc comú de conversa cortesana. S'hauria de continuar
per aquest camí i no, naturalment, pel que emprèn, al meu entendre temerària-
ment, P.J. Boehne, a «The Coronation of Curial», *Actes del Segon Col·loqui d'Estudis
Catalans a Nord-Amèrica*, (Montserrat: Publicacions de l'Abadia, 1982), pp. 179-88
(pretén de relacionar el nostre text amb les *Eumènides* d'Èsquil).

[11] *Història de la Literatura Catalana*, vol. I de les *Obres de Jordi Rubió i Balaguer*
(Montserrat: Publicacions de l'Abadia, 1984), pp. 413-17. En tan poc espai Rubió
parla de forma definitiva de la unitat artística de l'obra; desmunta la pintoresca idea
d'Aramon a propòsit de la ironia de certs passatges de la novel·la (*Homenatge a Anto-
ni Rubió i Lluch* (Barcelona: 1936), vol. III, pp. 703-23) i situa l'estudiós en el punt de
partida de futures recerques.

pectiva culturalista que he adoptat, és que les referències clàssiques con-
viuen amb les de la tradició romànica[12] en un curiós quasi-sincretisme que
caldria qualificar amb precisió. De fet, és evident i indiscutible que l'ele-
ment greco-romà sembla sobreposat d'alguna manera; tanmateix no en el
sentit que l'autor vagi descobrir tardanament Virgili i les seves «tramoies
al·legòriques», de tal manera que el darrer llibre de la novel·la sigui el reflex
d'una hibridació improvisada entre un fil argumental pouat del *Novellino* i
el muntatge mitològic de l'*Eneida*. La hibridació, si cal anomenar-la així,
per sorprenent que ens resulti, s'ha d'haver produït *abans* de la redacció,
en el rerafons mental de l'autor, en l'ambient cultural on es va formar i que
certament compartien els lectors a qui destinava la seva obra. Es tracta
d'una hibridació que no pot amagar la pobresa o la improvisació de la in-
formació pel que fa al món clàssic; com veurem, l'autor és conscient de les
seves mancances en aquest terreny, però sembla que el poc de què disposa
li configura un món prou coherent. Cavalca amb desimboltura sobre un
vehicle literari que per als moderns resulta estrany, com aquell rei d'Aragó
que «ficà sperons al seu cavall, apellat *Pompeu*, e sí anà vers lo duch d'Or-
leans, qui anava ab la lança en la cuxa, cercant a qui poria ferir...»[13]

Aquesta apreciació impressionista no ens ha d'induir a creure, però,
que dilucidar el punt de la cultura literària i científica del nostre anònim
sigui cosa senzilla; la prova és en el fet que ni les notes dels dos darrers edi-
tors de l'obra[14] ni les aportacions de la diversa bibliografia de què he parlat
més amunt no han sabut donar raó de les moltes referències als autors an-
tics o als seus intèrprets més qualificats, que el text ofereix de forma explí-

---

[12] Vegeu, més avall, nota 46, i els treballs de Sanvisenti i de Riquer esmentats a
les notes 1 i 3.

[13] II, 114. La cultura clàssica de l'autor a estones fa el mateix efecte que el nom de
l'heroi de la *Farsàlia* de Lucà aplicat a un corser de torneig.

[14] Hauríem de refer totes les notes referents a qüestions culturals. L'edició Ara-
mon aporta bastants dades més que no pas la de Miquel, però no és exhaustiva. Mi-
quel, en lloc de dades, sovint introdueix queixes com aquesta, que figura a la seva
nota a la invocació final a les parques amb què es tanca el llibre segon: «Invocació a
les Parques. Com nou a la sinceritat del dolor de Curial aquesta intempestiva deri-
vació cap a la mitología! La tragèdia antiga, rejovenida al escalf del renaxement ita-
lià, pesa damunt del novelador, qu'en va vol aquí semblar natural y verídich. Y Axí
acaba aquest segón llibre» (p. 514, nota 10045).

cita o implícita.[15] Valguin, doncs, les observacions que segueixen com un assaig del quest iniciat a propòsit, concretament, dels pròlegs dels tres llibres del *Curial* i d'alguns altres punts, com ara les representacions al·legòriques de Fortuna, dels Infortunis i d'Enveja, d'alguns déus clàssics i de la seva iconografia, de les visions en somni i, finalment, de la presència del tema virgilià de Dido.

II.   SOBRE ELS PRÒLEGS

Al marge de la coloració més o menys petrarquesca de la primera arrencada de la novel·la («¡O quant és gran lo perill, quantes són les sol·licituts e les congoxes a aquells qui·s treballen en amor!», I, 19),[16] cal observar dues coses en relació amb el brevíssim pròleg que encapçala el primer llibre: que, tot i mantenir un to sostingut de construcció retòrica, és d'una economia extrema i que, en la presentació de la novel·la com a *exemplum* d'una bona sort amorosa que ens és descrita com a excepcional, l'autor fa referència dues vegades al paper de la Fortuna i dels Infortunis, dels quals es parlarà profusament en termes al·legòrics al llarg de l'obra. La concisió de la prosa del *Curial*[17] crec que ha de ser valorada, en efecte, d'una manera especial en els fragments dominats per la retòrica; l'austeritat que contraposa la nostra novel·la a l'anomenada «valenciana prosa» no em sembla una dada gens menystenible dintre de la perspectiva que hem triat. D'altra banda, l'actitud didàctica («E si ab dret juyhí serà esguardat lo cas següent...», *ibid.*) que hem assenyalat, no és un lloc comú mecànicament convocat per les circumstàncies: l'al·lusió a la decaiguda deessa romana i a la cort dels

[15] Vegeu la referència a Plató de II, 128, per exemple, una de les tantes que queda sense identificar. Sovint l'anònim dóna pistes falses, d'aquí les dificultats de la recerca de fonts, i no parlem de quan hom intenta pescar en allò que és implícit, com més amunt F. Rico (nota 7). Per a la qüestió de les fonts remeto al treball que Xavier Gómez publica a *Caplletra*, Núm. 2 (1987).

[16] Cito sempre l'edició de R. Aramon i Serra publicada a «Els Nostres Clàssics» (Barcelona: Barcino, 1930-33). Per a les implicacions petrarquesques d'aquesta tirada, vegeu, encara, la nota 7.

[17] Vegeu l'article clàssic d'A. Par, «*Curial e Güelfa*: Notes lingüístiques i d'estil» (Barcelona: Publicacions de l'Oficina Romànica, 1928).

seus ministres ens indica els camins que seguirà la reflexió moral al cos de l'obra. Tampoc no es pot passar per alt el fet que aquest primer pròleg, essent el més breu dels tres que conté la novel·la, és el destinat a presentar tota l'obra; és inevitable pensar que la seva insistència temàtica en l'amor es deu al fet que l'autor l'escriví pensant sobretot en el primer llibre, al qual mentalment agrega un final feliç. Això donaria raó del fet que, més endavant, senti la necessitat de reservar-se nous espais per al discurs sobre la novel·la.

Així, a l'hora d'introduir-nos al segon llibre, es llança a teoritzar sobre la cavalleria, que és el tema que l'ocupa «per la major part» i «usada en diverses maneres» (II,5); amb aquesta teorització comença, de fet, l'ús de la «reverenda letradura» per part del nostre autor. En un text en el qual hom esmenta explícitament els «cathalans qui trasladaren los libres de Tristany e de Lançalot» (II, 7), la cavalleria és posada sota l'atribució de Mart, «déu de batalles» segons la «opinió antiga e poètiques ficcions». Heus ací, doncs, com el tema central del llibre segon, que remet de ple a la *Vulgata* artúrica, adquireix un nou sentit vist des de l'òptica d'un saber antic que, mercès a les «poètiques ficcions», permet, com veurem, de construir lectures morals dels enunciats literaris. Mart és definit aquí en una de les formes més difoses de la supervivència dels déus antics a l'Edat Mitjana:[18] la seva caracterització astrològica, la qual aporta, a través de la font explícita de Macrobi, la coloració «científica» que requereix la situació. Els tractats d'astronomia catalans parlen, com el nostre anònim, dels «cors de dos anys» del planeta Mart, del fet que «la sua casa és lo signe de Léo» i de les seves relacions amb Àries i Escorpí; també assenyalen la seva natura calenta i seca, engendradora en els nats sota la seva influència de tendències violentes i bel·licoses.[19] Macrobi, a propòsit del qual Miquel i Aramon guarden silenci en aquest punt (vegeu nota 14), parla de Mart tant als *Com-*

---

[18] Jean Seznec, *La survivance des dieux antiques* (París: 1980), p. 41: «Les astres sont les dieux».

[19] Ramon Llull, *Tractat d'Astronomia*, edició J. Gayà, *Textos y estudios sobre astronomía española en el siglo XIII* (Barcelona: Universitat i Universitat Autònoma, 1981), pp. 226-9 (Llull afegeix una colla de notícies, com la tendència dels nats sota Mart a ser ferrers, que caldria estudiar); Bartomeu de Tresbéns, *Tractat d'astrologia*, edició Vernet i Romano (Barcelona: Biblioteca Catalana d'Obres Antigues, 1957), vol. I, p. 161.

mentarii in Somnium Scipionis com als *Saturnalia*,[20] però no he sabut trobar que digui exactament el que li atribueix el nostre autor. Macrobi dóna algunes dades astronòmiques i subratlla la naturalesa «bona» de Venus i Júpiter davant de la «mala» de Mart i Saturn; estat de coses que retrobarem a III, 58-71 de la nostra novel·la. Els trets de la caracterització de Mart, en qualsevol cas — la seva «rojor», per exemple —, si no són en Macrobi, poden haver estat presos d'una font tan coneguda del nostre autor com és ara la *Divina Comedia*.[21]

Que el poema sacre de Dante és un dels llibres de capçalera de la «ciència» del nostre anònim és cosa ben sabuda;[22] la connexió amb aquesta obra capital es realitza aquí a través d'un lleó; el lleó de la constel·lació homònima, en la qual Mart té casa astronòmica, que evoca el símbol de la supèrbia que apareix al vers I, 45 de l'*Inferno* barrant el pas al florentí. Heus ací introduït el tema del vici que insistentment entela la glòria del protagonista al llarg del llibre segon; l'al·lusió al gegant Capaneu, glossada oportunament per Miquel i Aramon,[23] no fa més que afegir una dada erudita al fil del raonament principal. L'anònim tracta d'establir un ordre de significats «científics», que lliguen l'exercici de les armes amb un planeta causador d'infortunis i amb el vici que enlletgirà el comportament de l'heroi. Curial, en efecte, cau en desgràcia, al final del llibre que se'ns està presentant, per motius que són interpretats per Melcior de Pando com a errors de comportament deguts a la manca de gratitud de Curial tocant a la protecció de la Güelfa, signe clar d'orgull, supèrbia i vanaglòria.[24] El que no gosaria dir

[20] Per als *Com. Som. Scip.*, vegeu l'edició de Luigi Scarpa a la «Biblioteca di Cultura» (Pàdua: Liviana, 1981). A la p. 556 són recollides les referències a Mart. Per als *Saturnalia*, en canvi, remeto a l'edició de Nino Marinone (Torí: UTET, 1967 [1977]), índexs, pp. 915 i 939. Vegeu, d'aquesta obra, especialment I, 12, 9-11 (per a la natura «enemigable e superba», II, 6) i, dels *Com. Som. Scip.*, I, 11, 8 (per a la «color de foch», *ibid.*).

[21] *Enciclopedia dantesca* (Roma: Istituto della Enciclopedia Italiana, 1970), vol. III, pp. 834 ss. Vegeu *Par.* XXII, 146; *Inf.* XIII, 143-50 i *passim*.

[22] Vegeu Sanvisenti, treball citat a la nota 1 i Nicolau d'Olwer, «Apunts sobre l'influència italiana en la prosa catalana», *EUC*, II (1908), 306-21.

[23] *Inf.* XIV, 46-72. Aramon l'identifica a la p. 264 i Miquel a la 491.

[24] Materials procedents del parlament del vell a II, 279-81. Vegeu també la sentència de Juno contra Curial a II, 264 i tot el pròleg del llibre tercer, sobretot III, 11, on es parla explícitament de com l'heroi «devench superbiós».

és que el caràcter negatiu que la tradició assigna a Mart arribi a significar per al nostre autor un blasme de la cavalleria, «atribuïda», segons ell, a aquest planeta; més aviat el que dedueixo de tal atribució és un camí d'investigació ètica sobre els vicis propis dels cavallers. En certa manera, doncs, l'anònim té la voluntat de construir un discurs moral d'una certa volada científica paral·lelament al mer pla narratiu.

Les dotze pàgines impreses del pròleg al tercer llibre segons l'edició d'Aramon constitueixen una de les claus de lectura més importants per a entrar en el món dels coneixements culturals i de la teoria literària de l'autor del *Curial e Güelfa*. El mite de les muses i de les pièrides remet al llibre V, 294-678 de les *Metamorfosis* ovidianes;[25] la seva interpretació, en canvi («E quant al integument d'aquesta faula...» III, 6), presenta alguns problemes. Aramon retroba en els *Mitologiarum libri tres* de Fulgenci una *Fabula de novem Musis* (I, 15),[26] que conté la identificació de les nou muses i d'Apol·lo amb els «decem modulamina humanae vocis». També correspon a aquesta font, degudament podada de citacions d'autoritats, la caracterització de cada una de les muses.[27] En canvi, el nostre text exhibeix tot d'informació d'altra procedència, que podria haver estat manllevada a les *Genealogiae deorum gentilium* boccaccesques, les quals a XI, II ofereixen un ampli extret del text de Fulgenci abans esmentat.[28] El capítol «De novem Musis filiabus Iovis», de Boccaccio, tanmateix, no aclareix totes les informacions del nostre text; segons l'italià, les muses són filles de Júpiter i de la Memòria, i ho treu d'Isidor. L'atribució a Pàpias de llur filiació de Júpiter i Juno avançada pel nostre, d'altra banda, és ben exacta, com es pot comprovar llegint el text del *Papias Vocabulista*, signatura oiii v.[29] També

[25] És una citació explícita i veraç de l'anònim; vegeu Aramon, p. 269.

[26] És una altra citació, com l'anterior, identificada per Aramon, *ibid.*; vegeu Fabii Planciadis Fulgenti, *Opera*, edició R. Helm-J. Préaux (1898; reimprès a: Stuttgart: Teubner 1970), pp. 25-7.

[27] *Ibid.*

[28] Edició de Vincenzo Romano, 2 vols. (Bari: 1957). Vegeu el vol. II, pp. 539-42. Vegeu també l'edició castellana (Madrid: Editora Nacional, 1983). Recordem que ja Miquel i Planas recomanava de consultar les *genealogiae* boccaccesques per al *Curial*.

[29] Edició de Venècia, 1496. Pàpias és citat als *Documents per a l'estudi de la cultura catalana mig-eval* de Rubió i Lluch. Vegeu la nota 48 del meu article esmentat a la nota 41.

podria donar resultats seguir els lexicògrafs per a altres qüestions, com ara la identificació entre les muses, l'aigua i el so musical, que «de ayre e de aygua s'engendra» (III, 7); Boccaccio ja diu «arbitror Musas a moys, quod est aqua, dictas»,[30] però el *Graecismus* d'Eberard Bethuniensis en dóna la base lingüística fixant l'etimologia grega que reclama el nostre anònim amb aquest vers: «quod möys unda sit hoc Möyses et musica monstrant».[31]

Com es pot observar, l'estat de les meves investigacions no em permet encara de donar raó de totes les referències culturals que teixeixen l'entramat «científic» a partir del qual treballa el discurs moral de l'anònim del *Curial*; m'atreviria, però, de remetre al certaldès la idea expressada a II, 9 segons la qual les pièrides del mite ovidià, convertides en garses per haver gosat disputar amb les muses, signifiquen la loquacitat dels indoctes que parlen estúpidament davant dels «doctores» i dels «scientifici», que diu Boccaccio[32] o els «hòmens scientífichs e de reverenda letradura», que diu el nostre autor (vegeu nota 6). De fet, tota l'entrada mitologitzant i exegètica d'aquest pròleg no és altra cosa sinó un substitutiu: l'autor no s'atreveix a invocar les muses (III, 12: «E si serà lícit a mi usar de ço que los altres qui scriviren usaren o han usat, ço és invocar le Muses, certes jo crec que no»); i no s'hi atreveix perquè no és un «gran poeta ne orador» (*ibid.*) com ho varen ser «Tito Lívio, ... Virgili, Staci» (III, 16) i altres escriptors de la mateixa categoria dignes de ser «tenguts en gran stima per hòmens de reverenda letradura» (*ibid.*). Decididament l'anònim se sent del bàndol dels ignorants davant dels clàssics i davant dels seus iŀlustrats intèrprets de l'estil de Dante i Boccaccio (¿i Petrarca?). De tota manera, aquesta confessió d'humilitat, pròpia de la literatura prologal, sobretot abundant en les introduccions a les versions medievals dels clàssics a les llengües vulgars,[33] comporta la ferma convicció del valor de la noveŀla que l'anònim està escrivint.

[30] Edició esmentada a la nota 28, vol. II, p. 539.

[31] Eberhardi Bethuiensis, *Graecismus*, edició I. Wrobel, *Corpus grammaticorum medii aevi*, I (Vratislava: G. Koebner, 1887), p. 44. S'equivoca, doncs, l'estudiosa, esmentada a la nota 10, al final del seu article «The Coronation of Curial».

[32] Edició esmentada a la nota 28, II, p. 542. Boccaccio se situa de la banda dels savis contra els indoctes garruladors. Boccaccio podria ser, doncs, un bon model d'home de «reverenda letradura» admirat pel nostre anònim i criticat alhora. Vegeu el meu article esmentat a la nota 41.

[33] P. Russell, *Traducciones y traductores en la Península Ibérica (1400-1500)* (Bellaterra: Publicacions de la UAB, 1985).

En primer lloc hi ha una consideració ètica: l'orgull dels «hòmens de molta sciència» (III, 9) és un pecat tan repugnant que, de fet, els desautoritza. Per això, l'anònim recull un bon pomell d'exemples i sentències bíblics, patrístics i clàssics[34] destinats a donar una lliçó als «nobles e grans letrats» (III, 10): «Qui se exaltat humiliabitur» diu sant Lluc (*ibid.*). El seu heroi Curial ja sabem que ha caigut a la mateixa trampa: el propi valor com a cavaller l'ha fet caure en «lo fum de vanaglòria» (*ibid.*). En començar el tercer llibre, Curial ha perdut el favor de la fortuna i afronta tot sol un esdevenidor incert; aquesta darrera part de la novel·la serà, doncs, l'odissea de la recuperació moral de l'heroi, un heroi que és home de lletres,[35] però que és, sobretot, el millor cavaller del món. I heus ací que la punta polèmica del nostre anònim contra una reverenda letradura que no posseeix («E si yo les hagués en la mia tendra edat servides, [les muses] ara·m socorrerien...», II, 12), se centra ara en la defensa a ultrança de la gallardia cavalleresca del seu personatge. Ni els militars famosos de qui ens parlen els poetes, els oradors i (afegeixo jo) els historiadors, com «Alexandre, Cèsar, Aníbal, Pirro e Cipió» (II, 13), ni Hèrcules amb les seves dotze fatigues (III, 14), ni el mateix Hèctor que «en batalles, de moltes gents fonch lo millor cavaller del món mentre visqué» (*ibid.*), cap de tots ells no té el mèrit que té Curial. Aquest, com a cavaller medieval, entra sovint «en lliça o camp clos», és a dir, combat en una batalla a ultrança amb un altre guerrer de forces i armes iguals: els antics no ho feien, potser haurien acceptat de fer-ho (Hèctor no va renunciar pas al combat final amb Aquil·les), però, en qualsevol cas, Curial, com es pot veure als dos llibres anteriors de la novel·la, els supera a tots. L'anònim ha fabricat un heroi homologable amb els que van fabricar els antics, i fins i tot superior. L'únic motiu pel qual no és tan il·lustre com ells és que qui ens en parla, el seu creador, no forma part del clos dels elegits; perquè és un modern i perquè la seva formació cultural el fa sentir una garsa petulant al costat dels homes cultivats.

Des de la seva calculada humilitat, però, l'anònim estima el seu *Curial* i intenta de millorar-li la sort llançant-se al món de les «transformacions e poètiques ficcions» (III, 13), que potser ajudaran a exaltar el seu estil, com

---

[34] Vegeu la nota 57 del meu article citat a la nota 41. Es tracta d'exemples molt corrents, de repertori de predicador.

[35] Remeto a l'article esmentat a la 8 per a la descripció de la ciència de Curial. El seu curriculum, a I, 25 s.

feien els antics: «Car los scriptors, segons és dit, hagueren daurat, fingint, los actes d'argent, o si per ventura foren d'or, ab la ajuda de aquelles nou Apol·lines nomenades, los muntàran en major nombre de quirats, ab l'altesa d'aquell sublime e maravellós estil» (III, 16).

III.   Sobre algunes «poètiques ficcions»

Em sembla entendre que, quan el nostre anònim parla de «poètiques ficcions» a III, 13 referint-se al text del seu propi llibre, pensa decididament en el material «avorrit» i «estalviable», objecte d'aquest paper, i no pas en el pla narratiu de la novel·la cavalleresca. D'aquí infereixo que la història de Curial i de les seves successives ventures i desventures ens és contada *com si fos* una crònica de fets reals; una de les «obres ínfimes e baxes» (III, 12) que l'autor es considera capaç de confegir «rudament e grossera» (III, 13). La ficció poètica, en canvi, apunta a un estil més elevat i, sobretot, a un text amb possibilitats d'interpretació, amb integuments sobreposats a una veritat, com ara la faula ovidiana de les muses i les pièrides.[36]

Així, doncs, la primera de les «poètiques ficcions» que es permet l'anònim és la que posa en escena Enveja, Fortuna i els Infortunis; no es tracta, però, d'una faula incrustada sinó de tota una història paral·lela a la del pla «real» que, si bé ja és anunciada al pròleg del llibre primer, no es posa en funcionament fins a la pàgina 260 del segon. El caràcter diabòlic de Fortuna es fa evident des del moment que apareix acompanyada de l'odiosa Enveja;[37] procuraré no perdre'm pels mars de les al·legories d'aquesta ambigua i popular criatura fantàstica que és Fortuna i aclarir alguns punts de la seva presència al *Curial*. La primera cosa que crida l'atenció és la seva arenga als Infortunis: «Yo no pusch ne vull negar que vosaltres no siats segregats de mi, car aquell jorn que luytí ab la Pobretat perdí de tot la senyoria

[36] Per a la història dels *integuments* vegeu, a més del llibre citat a la nota 18, D.C. Allen, *Mysteriously Meant* (Baltimore i Londres: The John Hopkins Press, 1970) i P. Dronke, *Fabula* (Leiden i Colònia: Brill, 1974).

[37] No fa riure gens, doncs, aquesta imatge (vegeu nota 11) descrita a III, 224. No pot fer riure, perquè és el vici capital que ha hagut de vèncer la Güelfa; igualment com Curial haurà hagut de vèncer l'orgull. Vegeu com a la p. III, 225 Enveja diu a la Güelfa que ha viscut a casa seva.

que havia sobre vosaltres, en manera que yo no·us pusch manar ne forçar, per la sentència que contra mi fonch donada» (II, 261). Els Infortunis, tot i que no li deuen obediència, secunden la decisió de Fortuna, però abans d'actuar en contra de Curial, demanen permís a la deessa Juno, de la qual a III, 51 se'ns diu que també havia prestat antigament obediència a Fortuna («No·m perdas ... la obediència que haguist envers mi»: parla Fortuna). Aquesta oficialment desposseïda Fortuna, però, mou una brega notabilíssima al llibre tercer, empesa per Enveja, després d'haver provocat, al final del segon, el desfavor de l'heroi a París. L'autor, val a dir, té punt a mostrar que l'acció de Fortuna no és més que una fantasia: «e que no he poder de fer mal, yo ho atorch, emperò sabs que he saber e enginy e són instable e diligent» (III, 48). Fortuna no pot moure els antics déus, que, de fet, ja no són més que éssers diabòlics o celestes, privats, com ella, de poder; però, en virtut de la diligència i de l'enginy que li presten els vicis dels homes, sembla que triomfi. Així, al llibre tercer, després d'entrevistar-se amb Neptú, Juno i Dione en va (III, 45-72), quan ningú no vol ajudar-la a fer naufragar la nau de Curial, deixa senzillament temps al temps: «E lo cavaller navegue tant com li plaurà, e lo temps li donarà loch» (II, 72). Momentàniament té èxit (III, 94: «E emperò la Fortuna e la Enveja, qui no dormien, per unes vies o per altres enfelloniren Neptumpno»); però, a la llarga, ella mateixa es cansa (III, 182: «E açò durà tant, que la Fortuna s'enujà de perseguir Curial»). És Fortuna, ara, la qui fa renéixer l'amor al cor de la Güelfa i torna a fer servir els seus mètodes habituals d'aparèixer-se en somnis i de discursejar a tort i a dret amb els déus que facin al cas (en aquest, Venus, III, 183-5). De fet, Fortuna no és la *causa* dels fets, però podria semblar-ho. La seva proverbial arbitrarietat s'assembla prou als mecanismes de les passions humanes (al *Curial*, amor, enveja i orgull).[38] Ja ho deia sant Tomàs, la fortuna és «causa per accidens».[39]

Em continua intrigant, però, la faula incrustada dins de la faula que desvincula Fortuna dels Infortunis. Suggereixo una pista boccaccesca que podem llegir al *De casibus virorum illustrium*: al llibre III, II el certaldès ex-

---

[38] Diu Fortuna a III, 67: «tu sabs que yo no són ferma ne stable, ans és obs que do, e tolge e mude, e barrege, bé ho saps».

[39] Segons reporta H.R. Patch, *The Goddess Fortuna in Mediaeval Literature* (Nova York: Octagon Books, 1967, 1974²), p. 16; la citació és dels *Commentaria physicorum Aristotelis*, edició de les *Opera* de Lleó XIII, II, 77 (9).

plica que, de jove, a Nàpols va sentir dir a Andalò del Nigro, ciutadà de Gènova, que no s'ha de donar la culpa a les estrelles de les desgràcies que es busca un mateix. Davant de la sorpresa del seu interlocutor, Andalò explicà aquest conte: Pobresa seia en un encreuament de tres camins mal vestida i compungida. Passa Fortuna tota arrogant i fa burla de Pobresa perquè és magra i groga i perquè s'està tota sola. Pobresa aleshores li diu que el seu orgull és en va, perquè, de fet, no té poder sobre els homes. Fortuna va vestida de porpra i or i desafia Pobresa a combat en camp clos. Aquesta li fa saber que, no tenint absolutament res, no depèn d'ella i, per tant, no li té por. El diàleg s'allarga a propòsit de les condicions del combat. Fortuna es mostra aclaparadora, però Pobresa la venç amb facilitat i li imposa la seva llei: de la ventura i la desventura, sobre les quals fins ara havia manat, ja només li queda la primera. Fortuna pot afavorir si vol, però no pot danyar. Pobresa agafa la desventura i la lliga a un pal, de manera que només la pugui haver aquell que deliberadament vagi a deslligar-la.[40] Sembla clar que Boccaccio no és la font directa del tema en el *Curial*, però, almenys, la moral de la seva història és nítida i crec que s'ajusta perfectament a l'ensenyament que es desprèn de la «ficció poètica» sobre Fortuna del nostre text. És a dir que els veritables «culpables» dels mals dels homes són els seus vicis.

«Poètiques ficcions» per excel·lència són, naturalment, els déus de l'antic Olimp. Ja hem vist abans un Mart assumit com a patró de la cavalleria i font de mals i violències; deixarem per ara de banda les divinitats dialo-

---

[40] No he vist l'edició del *De casibus* de Viena 1554, però he llegit la traducció castellana del xvi *Libro llamado caýda de príncipes*, Medina del Campo: 1552 (interessen els fols. XXXVIIv–XXXIXr) i la italiana de Bettusi, Venècia: 1545. Llegim a la p. 51v d'aquesta darrera [parla *Povertà*]: «... voglio che mi serbi questa sola legge. In tuo potere, cosí essendo piacciuto all'error degli antichi, diedero i Dei la ventura, e la disgratia. Io ti voglio solamente levare la metà di tanto imperio e ti comando che in pubblico tu leghi ad un palo la disgratia, *o voglio dire infortunio*, fermandolo con salde cathene, che non solamente non possa entrare la porta d'alcuno, ma ne ancho d'ivi partirsi, eccetto con colui, ch'anderà a slegarlo: la ventura manda dove vuoi ...» El subratllat és meu; després el parlament s'estén a propòsit dels qui es proposen de deslligar l'infortuni del pal. La moral de la història ja ha estat anunciada a la p. 60: «Non sono da acusar le stelle quando l'abbattuto si procaccia la sua ruina». Pregunto: ¿té alguna cosa a veure, en l'àmbit de les associacions fonètiques, l'Andalò del Nigro boccaccesc (Andalone de' Negri, diu Bettusi) amb el nostre genovès Andria de Nigro (III, 146)?

gants amb Fortuna als llibres segon i tercer, Juno, Neptú, Dione, Venus i Cupido, que fan pensar tant en les presents als primers llibres de l'*Eneida*, i també totes les al·lusions mitològiques del llarg parlament de Fortuna a partir de III, 55, per concentrar-nos en les figures d'Apol·lo i Bacus, la segona de les quals rep un tractament realment sorprenent. En cap de les fonts que he pogut consultar, en efecte, no he trobat cap explicació satisfactòria del fet que hom consideri Bacus «déu de sciència» (II, 174), dels mitògrafs vaticans a Bersuire i a Boccaccio.[41] D'altra banda, cal tenir present també que, si a la visió de Curial, descrita a III, 174-179, Bacus fa aquest curiós ofici de patró de les set arts liberals, podem llegir, per contra, a III, 57: «per ço com Jovis jagué ab Sèmel, donzella thebana, de la qual nasqué Baco, déu del vi». Aquesta vistosa contradicció[42] em fa pensar que l'autor potser tre-

---

[41] Per a un raonat intent d'explicació de l'assumpte, vegeu el meu «La segona visió mitològica de Curial: Notes per a una interpretació de l'anònim català del segle xv *Curial e Güelfa*», en premsa a les *Actas del I Congreso de la Asociación Hispánica de literatura medieval* i al volum V de la *Miscel·lània Badia i Margarit*, que publica l'Abadia de Montserrat.

[42] Hi ha diversos desajustaments com aquest: les muses són filles només de Júpiter a III, 75, i de Júpiter, pare del gran Alcides i de Radamant, a III, 78; però abans s'ha dit que eren filles també de Juno, com afirma Pàpias (vegeu nota 29). I, parlant de coses estranyes, ¿voleu raresa més gran que la de Filoctetes, escuder d'Alcides, armat cavaller per aquest a Espanya (III, 130)? Heus ací una interpretació de la confusió, evidentment present en el passatge, bastida al marge de la sentència que il·lustra la situació, és a dir que «los cavallers deuen haver ardiment de fembra e cor de leó»: després d'examinar en va la tradició d'Hèrcules fundador de les Espanyes dels temps de Rodrigo Jiménez de Rada ençà, he arribat a la conclusió que el nostre anònim confon aquí Filoctetes amb Iolaos, el nebot i company d'armes d'Alcides, que, segons Tate, «Mitología en la historiografía española de la Edad Media y del Renacimiento», *Ensayos sobre la historiografía peninsular del siglo XV* (Madrid: Gredos, 1970), p. 17, batega al darrera de la figura d'Hispà, el company d'Hèrcules a qui aquest encomana el govern de la més occidental de les penínsules mediterrànies. En les primerenques adaptacions catalanes del *De rebus Hispaniae* del toledà, inventor de l'heroi epònim d'Espanya (vegeu Tate, *ibid.*), la figura d'Hispà és ben present; la trobem a la versió llatina anònima de la crònica de Rodrigo esmentada (ms. 485 de la Biblioteca de Catalunya, fol. 273 ss.) i a les seves traduccions catalanes conservades al ms. esp. 13 de la Biblioteca Nacional de París i al ms. 6 de la Biblioteca de Catalunya; totes dues són copiades a la primera meitat del xv. Vegeu «La *Crònica*

ballava en alguna cosa semblant a les *Genealogiae* boccaccesques per a confegir el llarg parlament de Fortuna que inclou la qualificació *standard* de Bacus (es tracta d'una llista de les infidelitats conjugals de Júpiter, que Fortuna agressivament recita a Juno al llarg de l'altercat que mantenen); en canvi, la visió de Curial esmentada potser procedeix d'una representació iconogràfica de dubtosa interpretació, un tapís per exemple, com ja va suggerir per a altres passatges de la nostra novel·la Nicolau d'Olwer.[43] Però anem a pams. Apol·lo i Bacus apareixen a l'obra emmarcats en dues visions successives que té el protagonista; comencem, doncs, pel tema de les visions.

Al llibre primer, Curial té una visió (¿un primer intent de «poètica ficció»?) quan dorm al llit de Laquesis després d'haver resat davant de l'altar de sant Marc. Somnia una al·legoria de la seva ingratitud envers la Güelfa, la qual al seu torn, potser influïda per la pregària que també ha fet a sant Marc, veu una altra angoixosa figuració dels seus conflictes sentimentals (I, 105 ss. i I, 128 ss.). L'abadessa comparteix la visió de la Güelfa (I, 129), cosa que es torna a produir a III, 221. Al segon llibre, Fortuna s'apareix al duc d'Orleans per instar-lo a casar-se amb Laquesis (II, 276-77), i un Infortuni ho fa disfressat de la mare de Laquesis a Curial per inclinar-lo a anar a París a requerir la seva filla (II, 281). Al llibre tercer tenim la celebèrrima visió del Parnàs (III, 73-91), la de Bacus i les arts liberals esmentada, la de sant Jordi a Curial abans de la batalla amb el turc Critxí (III, 196) i la de Venus i Fortuna a la Güelfa i a l'abadessa (III, 221-30). L'anàlisi de tots els episodis que acabo d'enumerar seguramènt ens donaria molta informació sobre els mecanismes del discurs moral, paral·lel a l'acció «real», més o menys subterrani; la perspectiva culturalista ens duu, però, a interrogar preferentment les visions del Parnàs i la de Bacus.

Si observem la situació dels dos episodis dintre de la trama, veiem que el primer es troba immediatament abans del naufragi, i el segon immedia-

---

d'Espanya atribuïda a Pere Ribera», estudi i edició començats per Allison Elliott i continuats per Lola Badia, *Stelle dell'Orsa*, Núm. 6 (Barcelona), en premsa.

[43] L. Nicolau d'Olwer. «L'art dans la vie sociale catalane d'après les romans du xv siècle», a *La peinture catalane à la fin du Moyen Âge* (París: Fundació Cambó 1933) pp. 118-35. Curial compra draps d'Arras per a la seva casa de París. El somni de la Güelfa, quan veu Venus i Fortuna, recorda un tapís. Seguramènt els ulls d'Argos (afegeixo jo), com a símbol de l'amor, que es repeteixen en els ulls i els llaços de la roba de Laquesis, també tenen un origen iconogràfic semblant.

tament després de la recuperació de la posició social de Curial a París, és a dir al començament i al final de l'aventura africana, la qual constitueix la penitència de Curial pel seu pecat d'orgull.[44] El primer somni, a més, té un paraŀlel en l'entrevista amb el Sanglier. De fet, el protagonista està tan torbat per la fúria penitencial del seu antic contrincant que sembla un frare ell també. Les bromes dels seus companys el retornen a la realitat (III, 44). Aquest viatge als orígens cristians, doncs, resulta inoperant pel que fa a la regeneració moral de Curial; «E vench-li volentat de veure lo mont de Parnaso, on los poetes e philòsofs solien estar, e apendre on eren los temples de Appoŀlo e de Baco, déus, segons la opinió antiga, de sapiència e de ciència» (ibid.). Curial emprèn, així, deliberadament un quest simbolitzat pels valors que l'autor atribueix als dos déus clàssics. Entre les dues parts del quest, la penitència; al costat de cada una, encara, una intervenció de Fortuna (just abans de l'episodi del Parnàs hi ha el dels enfurits discursos de Fortuna, III, 45-72 contra Curial i, just després del de Bacus, el canvi d'actitud d'aquest personatge, III, 179-185). Alguna cosa deu significar tanta simetria.

La diferència entre la *sapiència* i la *ciència*, representades respectivament per Apoŀlo i Bacus, se'ns perfila si recorrem les respectives visions, presidides per l'un i per l'altre. Apoŀlo i les muses representen la poesia, el que nosaltres anomenem literatura, i Bacus i les arts liberals, una cosa així com la filologia i les ciències humanes. Amb Apoŀlo retrobem Homer, Dictes i Dares i els herois màxims del cicle troià; amb Bacus, els autors dels llibres d'escola que el nostre anònim coneixia: Priscià, Uguccione da Pisa, Pàpias, Joan Balbi, Isidor de Sevilla i Alexandre de Villedieu (III, 177).[45] Curial, recordem-ho, és coronat poeta i convidat a discernir delicats problemes a propòsit de la veritat i la ficció en literatura; del seu geni de creador tenim la cançó *Atressi com l'aurifany*.[46] A III, 178 Bacus l'incita

[44] Curial es passa set anys cultivant la terra a Tunis, ben lluny dels orgulls cavallerescos i ben a prop d'una codemna a treballs forçats. Per al valor simbòlic de la «purga» en qüestió, vegeu II, 292: per arribar al «paradís», que és l'amor de la Güelfa, «no·s pot entrar sinó passant primer per purgatori».

[45] Són els mestres més característics de l'Edat Mitjana més allunyada de les novetats de la «reverenda letradura» del segle XV. Heus ací una nova perplexitat per a aclarir, sobre la qual torno al meu treball citat a la nota 41.

[46] Vegeu nota 12. La cançó del conegut trobador del segle XII Rigaut de Berbezilh ens és presentada com l'obra mestra de la poesia que Curial fa durant el capti-

a substituir la vida de mol·lície per la de l'estudi de les arts liberals, i el nostre heroi l'escolta: «per què tantost lo jorn següent féu cercar libres en totes les facultats, e tornà al studi, segons havia acostumat, tenint per perdut aquell temps que sens studi havia viscut» (*ibid.*). ¿Quina mostra ens dóna, però, Curial de la seva dedicació a l'estudi? ¿Per ventura la seva capacitat de «declarar» moltes coses de «lo Vergili e los altres libres»? (III, III).

IV. OR SE'TU QUEL VIRGILIO E QUELLA FONTE (*Inf.* I, 79)

Curial, com un nou Paris,[47] és triat per les muses perquè decideixi entre Aquil·les i Hèctor i els seus defensors literaris, Homer, per una banda, i Dictes i Dares, per l'altra.[48] A III, 78 el nostre cavaller, sorprès, pregunta a Cal·líope, «que és dea de eloqüència», per què ha estat escollit precisament

---

veri nord-africà, al mateix temps que comenta l'*Eneida* per a Càmar. El desajustament dintre dels esquemes culturals és paral·lel al de la nota anterior: les fonts de la formació no lliguen amb els productes que se suposa que en deriven. Es tracta d'efectes creuats: Curial, format per a ser un poeta clàssic, escriu com un trobador, però, estudiant gramàtica amb mestres medievals, esdevé un gran comentarista de Virgili.

47 Ens referim al sentit moral que la tradició (una tradició que arrenca de Fulgenci, com a mínim) atribueix al mite de Paris, obligat a emetre el famós judici que va desencadenar la guerra de Troia. El judici de Curial, simètricament, clou la discussió a propòsit de l'autenticitat dels relats d'aquesta història i, en fer-ho, qui el pronuncia viu una experiència renovadora. El mite de Paris és el tema de l'home que ha de triar entre la riquesa, la vida contemplativa i la luxúria (vegeu, al text 6 del present recull, l'estudi de l'exposició que en fa Corella, apartat III). Curial ha de triar entre les poètiques ficcions i els relats vertaders, dos camins possibles de la seva vida... literària.

48 Els textos medievals amb el contrast Homer/Dictes i Dares es multipliquen; des del pròleg del *Roman de Troie* de Benoit de Sainte Maure, edició L. Constans, 6 vols. (París: 1904-1906): «Omers, qui fu clers merveillos ... mais ne dist pas sis livres veir», fins al pròleg de les *Històries troianes* de Guiu de Columnis, edició Miquel i Planas (Barcelona: 1906), p. 6: «Omeri ... varia la pura e simple veritat de la dita història en verses, fenyent moltes coses que no foren». Tal vegada aquesta darrera és la font immediata del nostre «poetant te esforcist scrivint cercar poètiques ficcions e rectòriques colors, fingint moltes coses que no foren» (III, 88).

ell que no és «Homero, Virgílio, Oràcio, Ovídio» ni «Lucano». El nostre autor, a diferència de Dante, doncs, no se sent digne de ser «sesto fra cotanto senno» (*Inf.* IV, 102) com a poeta; tampoc, com a «home de sciència», no és ni Aristòtil ni Plató (III, 79). Ni la «sapiència», doncs, ni la «sciència» (vegeu III, 44) no fan d'ell un poeta o un orador ni un home de «reverenda letradura». Cal·líope és taxativa: ha estat escollit per voluntat de les muses, que volen defensar Homer de l'acusació de falsari de la història que li dirigirà Apol·lo (veg. III, 88); la raó és que Curial (aquí en representació del seu anònim creador, em sembla) no ha estat desemparat per les muses. La timidesa expressada al pròleg del tercer llibre, de la qual hem parlat, no té raó de ser. La bona disposició literària dels moderns incultes queda garantida:

> — No·t meravells d'acò – dix Calíope –, car nosaltres tots temps seguim aquells que·ns volen, e encara que stigam de present ab tu, no·ns partim dels altres, ans tots temps estam ab ells, e per virtut de Déu som fetes tal, que en tot loch que·ns volem som. E per ventura a vegades acompanyam, totes o alguna o algunes de nós, alguns hòmens que ells no s'ho cuyden, e·ls ajudam a fer e dir ço que fan e dien, a uns més, a altres menys, segons la disposició que en ells trobam.   (III, 79)

Hi ha tota una dea de l'eloqüència al costa de Curial ajudant-lo a expressar-se, encara que ell (o el seu creador) no s'ho pensi o no li ho deixin pensar els qui orgullosament menyspreen, en nom de l'antiga, la moderna literatura. La sentència de Curial a III, 91 se'ns ofereix en aquesta òptica; Homer i les seves «poètiques ficcions» són cosa «d'hòmens de sciència», d'aquells possessors de la «reverenda letradura», entre els quals el nostre autor no es compta. Dictes i Dares, cronistes de la veritat, pertanyen, en canvi, al mateix horitzó del nostre anònim, narrador d'històries versemblants i fins emparentades amb els textos del «verídico Desclot».[49]

Entenem, d'aquesta manera, que per a l'autor del *Curial* hi ha una doble legitimitat literària: poetes antics i savis intèrprets, per una banda; contadors d'històries veres o versemblants, segurament no tan savis, de l'altra. I pel que podem deduir de la nostra novel·la, tampoc no cal descartar una simbiosi quasi sincrètica, a través de tipus com Curial, home d'ar-

---

[49] Per a l'ús de les cròniques catalanes per part del nostre anònim, vegeu el llibre d'Espadaler esmentat a la nota 1, pp. 163-74.

mes i de lletres, protagonista de cròniques heroiques, poeta i interlocutor d'Apol·lo i de Bacus.

Sempre m'ha cridat l'atenció l'absoluta fredor de la nota d'Aramon a III, 76 (p. 273), que aclareix que el «libre tan noble apellat *Achileydos*» que escriví Homer és la *Ilíada*. Sabem que Estaci (III, 16) era un dels grans poetes de l'antigor que valorava el nostre anònim, i, en fer-ho, coincidia un cop més amb Dante;[50] la seva *Aquileida* té una respectable tradició medieval;[51] doncs, la seva confusió amb la *Ilíada* per part del nostre anònim és una pista més per a estrènyer el setge entorn del que constitueix el seu model de l'èpica sublim i falsa de l'antigor, barroerament atribuït a Homer.[52] No cal esforçar-s'hi gaire; l'anònim, quan parla d'Homer, pensa sobretot en Virgili. El discurs de l'Apol·lo fiscal de la veritat a III, 88-90 no té pèrdua. Homer ha combinat la sapiència d'ell i la sciència de Bacus per «fingir moltes coses que no foren», adobades amb «rectòriques colors», capaces de produir aquell «noble e meravellós estil» que fa que la ficció sigui presa per realitat. L'anònim no té, però, cap exemple a mà i, per a completar l'argumentació del déu, recorre a Virgili: la «fonte» del seu admirat Dante i la seva pròpia. Virgili — diu, doncs, Apol·lo — contra el testimoni de sant Jeroni, que «no erra»,[53] ens fa creure a l'*Eneida* que Dido, la virtuosa vídua fundadora de Cartago, va morir suïcida per amor d'Eneas, quan, en realitat, els separa un interval cronològic de tres-cents anys. «Bo és poetar; mas, contra veritat escriure, no·m par que sie loor».

De tot plegat entenc que el tema de Dido preocupa seriosament el nostre anònim; per una banda el fascina, per l'altra li repugna. Dido és el nucli

---

[50] Vegeu l'article «Stazio» a l'*Enciclopedia dantesca* citada a la nota 21, vol. V, pp. 419-25. Estaci substitueix Virgili com a guia als darrers cants del *Purgatori*. Notem que Dante coneixia perfectament l'*Aquileida*.

[51] No cal insistir sobre el fet que Homer no era conegut a l'Edat Mitjana si no era per l'epítom de l'*Ilias latina*, que va traduir al castellà Juan de Mena. Per a l'*Aquileida*: Paul M. Clogan, *The Medieval Achilleid of Statius* (Leiden: 1968).

[52] Vegeu les consideracions de Riquer a la p. 630 del vol. II de la seva *Història de la literatura* citada a la nota 3.

[53] Vegeu la nota d'Aramon, p. 274, que supera l'aire de despistament de la de Miquel, p. 253, línia 11956. El lloc de l'*Ad Jovinianum* a P.L., XXIII, 246: «extructa in memoriam mariti quondam Sichaei pyra, maluit ardere quam nubere [Jarbam]». Per al tractament patrístic del tema de Dido, vegeu el llibre de què es parla a la nota següent, pp. 78 ss.

dels episodis nord-africans de l'*Eneida*, episodis que són vivament presents darrera dels corresponents de la nostra novel·la, de la pàgina 94 a la 164 del llibre tercer. Es tracta, precisament, de les aventures de Curial emmarcades per les dues visions abans esmentades i les dues prolixes intervencions de Fortuna; em sembla veure, doncs, que la seva disposició entre aquests dos blocs simètrics els dóna un especial relleu. Són les aventures d'una penitència del pecat d'orgull, com ja he dit, viscudes pel protagonista en un pla versemblant (el del Tunis musulmà perfectament identificable objectivament parlant), darrera del qual afloren insistentment paral·lels amb la inevitable referència virgiliana; paral·lels i, diria, també puntes polèmiques.

En el poema virgilià, quan els déus aconsegueixen arrencar Eneas de Cartago, on l'ha fet anar a perdre's la gelosia de Juno, res no s'oposa ja a la seva arribada a Itàlia: la victòria sobre Turn el transformarà en amo i senyor de la protoRoma gloriosa i heroica. El nostre Curial, del seu cantó, reïx tot sol a escapar del captiveri, ja que la intervenció a favor seu de l'ambaixador aragonès es produeix després de la seva esforçada victòria contra els dos lleons destinats a devorar-lo; de totes maneres, com a l'Eneida, també a la novel·la que ens ocupa, quan l'heroi deixa les terres africanes, la seva sort ja està decidida. Curial tornarà a París, i la victòria sobre Critxí i els seus turcs el durà a l'apoteosi. I en tots dos casos, a l'*Eneida* i al *Curial*, el nucli de les aventures africanes és una dona mortalment enamorada; la nostra Dido és una tendríssima Ofèlia, la donzella Càmar, que regala el tresor del seu pare a Curial i el transforma en un home ric.

No voldria pecar de suspicaç, però no em puc estar de veure en la Càmar del nostre anònim, no una còpia de la reina de Cartago, sinó una rèplica conscient i molt reeixida. Gràcies al llibre de María Rosa Lida sobre *Dido en la literatura española: Su retrato y su defensa*, puc parlar amb desembaràs de la qüestió;[54] a les pàgines III i 112, aquesta autora reconeix que ell primer testimoni ibèric de la polèmica antivirgiliana sobre el tema de Dido és el *Curial e Güelfa*. La tradició cristiana, invocada pel nostre anònim a través de sant Jeroni, defensa la figura de la reina de Cartago, la qual hauria mort suïcida, no per amor, sinó per castedat. Assegura Tertul·lià, entre d'altres, que Dido va morir per voluntat pròpia per defugir el matrimoni amb el rei Jarba, ja que no volia rompre «la fe a les cendres de Siqueu»: *Maluit*

---

[54] Londres: Tamesis Books, 1974

uri quam nubere. En la tradició patrística Dido és, doncs, un heroic exemple de sacrifici per la fidelitat conjugal. Virgili i les seves «poètiques ficcions» enllorden el perfil de l'heroïna; d'aquí la indignació de l'anònim en el fragment que he reportat.

Rosa Lida, però, i no és l'únic dels hispanistes que actua així, sembla conèixer només l'episodi del Parnàs pel que fa a la nostra noveŀla. ¿Què hauria dit si hagués llegit també a III, 149-51 el discurs de la mora Càmar, que, abans de deixar-se caure d'una alta finestra, invoca llargament Dido? Aquí els fils del raonament es compliquen. Càmar diu clarament que és nada a la mateixa Cartago de Dido, però el coneixement dels fets d'ella li ve de les classes particulars que Curial — per a ella el captiu Joan, que estima fins a la mort — li havia estat donant feia anys sobre una versió àrab de l'Eneida (III, III).[55] Per això, a l'esmentat discurs, parla de la inconstància que li atribueix Virgili en fer-la passar de la fidelitat a les cendres de Siqueu als braços d'Eneas, i, per això també, Càmar executa el seu suïcidi «no usant de imaginació repentina, mas de longa e madura deliberació per mi en molts dies dirigida» (III, 150-151). En resum: Dido, a l'*Eneida*, que diu coses falses però belles, es mata per despit («que no volguist oyr aquell tan vituperable mot de repudiada»); Càmar, en canvi, al *Curial*, es lleva la vida de forma exemplar i virtuosa, segons que ella mateixa suggereix, perquè, en fer-ho, defuig el matrimoni amb el rei de Tunis i alhora conserva eterna fidelitat al seu captiu Joan, que tant estima i amb qui només ha compartit una amistat inteŀlectual i un òscul tan sensual com desesperat (III, 141). Càmar, amb el seu gest, salva el de Dido perquè resumeix la interpretació patrística (sacrificar-se per fidelitat amorosa) i la clàssica (morir d'amor). D'altra banda, les últimes paraules de l'heroica mora exemplar són: «Reeb-me, senyor, que a tu vaig; cristiana són e he nom Johana» (III, 151).

Però hi ha més coses. El nostre anònim no tolera tampoc el poc airós paper que Virgili deixa fer al seu *pius Aeneas* quan, al llibre VI del seu poema, descobreix l'ànima de la seva antiga amant entre les ombres del més enllà. Eneas plora i Dido el defuig indignada.[56] Diríem que el nostre anònim

---

[55] Per a la suposada versió catalana medieval perduda de l'*Eneida* cal veure la glossa 100 a la traducció castellana d'aquest text d'Enric de Villena en l'edició de Pedro M. Cátedra, en premsa.

[56] *Aen.*, VI, 450-77. Ara plora també Eneas «casu percussus iniquo». Edició Mynors (Oxford: University Press 1980).

millora aquesta trista situació del baró que *no pot* estimar, ja que Curial, un cop morta Càmar, la salva de ser devorada pels lleons amb risc de la pròpia vida, cobreix pietosament la seva nuesa amb el mantell que l'ambaixador d'Aragó li dóna al final del victoriós combat amb les feres, i encara s'enduu el seu cadàver per enterrar-lo en terra sagrada (III, 158). Heus ací com Curial pot portar dignament la seva part en aquesta història («—¡O, Càmar, senyora, que Déus no m'a feta gràcia que en vostra vida, e vós veent-ho, prenguéssets aquest petit servey de vostre catiu, ignoscent de vostra mort!»: *ibid.*). Notem també que Curial, en relació amb Càmar, contràriament al que havia fet anteriorment amb Laquesis i contràriament al que fa Eneas al poema virgilià, no es deixa seduir per la passió d'una dona que no li correspon d'estimar. Així Curial se supera ell mateix i purga el seu pecat d'orgull (ocasionat, recordem-ho, pel fet d'haver volgut jugar amb l'amor de dues dones, al final del llibre segon) i, de passada, supera l'heroi masculí de les «poètiques ficcions» virgilianes de tema nord-africà.

No sabria dir si tot això és sincretisme literari, polèmica contra una certa manera d'entendre la «reverenda letradura» o defensa d'un cert model d'escriptura novel·lística. Potser és una suma de totes tres coses; en qualsevol cas, el nostre anònim revela en aquest punt concret familiaritat amb Virgili, consciència literària i una admirable gosadia que potser només tenien, al segle XV, els qui estaven només parcialment tocats del corc del pre-humanisme. L'*auctoritas* dels clàssics reverendíssims pot ser posada a prova malgrat l'orgull dels seus sacerdots; per alguna cosa les muses acompanyen, si hi troben la disposició adequada, homes que no van presumint de savis.[57]

[1985]

---

[57] No em sento en condicions encara de definir els límits de la saviesa de l'anònim. Hi ha massa racons per explorar i massa dubtes (vegeu notes 14, 15, 29, 41 i 42). Encara no sé, per exemple, si l'anònim citava Armannino Giudice en va a propòsit de la maldat d'Aquil·les (III, 84). A la nota corresponent de la p. 273, Aramon identifica la *Fiorita* i el seu autor i assenyala l'existència del ms. 10414 de la Biblioteca Nacional de Madrid que conté una còpia de l'obra. El manuscrit en qüestió és dels de la biblioteca del Marquès de Santillana (M. Schiff, *La bibliothèque du Marquis de Santillana* (París: Librairie Émile Bouillon, 1905. Bibliothèque de l'École des Hautes Études, fasc. 53), pp. 352-4), i a propòsit de les maldats d'Aquil·les només he sabut trobar-hi una expansió exclamativa de l'autor al fol. 53r, després que se'ns ha dit que

el guerrer es va fer pagar el cadàver d'Hèctor a pes d'or: «O crudeltà avara e sconoscente di tale mercato fare! Li greci medesimi l'aveano per grande male, ma sostenere lo voleano come sostiene el povero vassallo la crudeltà dell'avaro signore. Tre vitii avea Achille in se: luxuria, avaritia e superbia. Ma il vulgare s'usava per la gente d'Achille et di Patroclo, cui tanto amava, per moneta ogni male facea e con subito orgoglio. E per questo inaci tempo finie la sua vita». Diu el nostre, *loc. cit.*: «Era emperò, luxuriós, cobeu, e volia haver glòria dels fets que feya, dels quals li playa vantar-se, e menaçava molt, e, segons la *Fiorita* diu, era mentider e fals, emperò yo no ho dich, car no ho he legit en altre loch».

6.

«EN LES BAIXES ANTENES DE VULGAR POESIA»: CORELLA, ELS MITES I L'AMOR

*Corella criba a Ovidio en la teoría y en la
práctica de las letras medievales.*

FRANCISCO RICO

I. EL QUE NO HEM ENTÈS I EL QUE VOLEM ENTENDRE

És gairebé un tòpic iniciar un discurs crític sobre Corella fent referència a
la llarga incomprensió de què ha esta objecte.[1] La finalitat dels presents

---

[1] El començament preceptiu de l'exposició sobre un autor, destinat a resumir la
bibliografia anterior, en el cas de Corella se sol enfrontar amb un quasi desert. R.
Miquel i Planas, a la seva «Introducció a les obres de Mossèn Joan Roiç de Corella»,
que encapçala la que és encara l'única edició filològica de les obres del nostre autor
(Barcelona: Biblioteca Catalana, 1913; abreujat *Obres*), destina l'apartat 7 a parlar de
la «Fortuna literària d'en Roiç de Corella» (pp. xxxviii-li), i posa en relleu el contrast
entre l'èxit de públic de què gaudí Corella en vida amb l'oblit en què va caure a par-
tir del XVI fins a la seva reaparició en els papers dels erudits del XIX. Joan Fuster és
pregunta per les raons d'aquest oblit a la seva «Lectura de Roís de Corella», *Obres
Completes*, I (Barcelona: Edicions 62, 1968), pp. 285-313, concretament 286-90 i nota
9 (abreujat «Lectura»), i recorda l'omissió del nom de Corella en l'«epístola proe-
mial» d'Onofre Almudéver a la reedició del *Procés de les olives* de 1561. Jordi Carbo-
nell planteja el problema de la desagradança noucentista davant de la prosa core-
lliana i en proposa tota una reivindicació a l'«Estudi preliminar» a Joan Roís de
Corella, *Obres completes, I. Obra profana*, (València: Albatros, 1973; reedició a Valèn-
cia: Tres i Quatre, 1983), pp. 7-38, concretament 7-9 (abreujat *Obra profana*). Martí
de Riquer no entra explícitament en la qüestió a les pàgines 254-320 del vol. III de la
seva *Història de la Literatura Catalana* (Barcelona: Ariel, 1964; abreujat *HLC*); però
vegeu la p. 319 i més avall. Recentment, i des d'un punt de vista només militant-
ment anticatalanista, refà el camí mossèn Josep Albiñana a la seva introducció a la
transcripció del manuscrit corellià procedent de la maiansiana publicat a València
(Del Cénia al Segura, 1985), vol. II, pp. 333-47: Albiñana afegeix al problema que ens
ocupa la no gens pràctica necessitat de desacreditar tota la bibliografia anterior per pre-
venció ideològica. Francisco Rico reacciona al tòpic i comença el seu petit assaig

papers no és, però, indagar aquesta qüestió; si hi faig referència és tan sols
per introduir el tema que proposo: la lectura «moral» dels mites amatoris
que Corella ens ofereix sota l'embolcall enlluernador del seu estil, que
nosaltres anomenem de prosa i que ell considerava «de vulgar poesia».[2] El
que cal dir és aviat acabat: l'endarreriment escandalós[3] dels estudis mo-
derns sobre Corella descansa en últim terme sobre prejudicis literaris que
es poden remuntar amb poc marge d'error a la condemna del mal gust de
l'autor que Antoni Rubió i Lluch va incloure en el seu famós opuscle *El
Renacimiento clásico en la literatura catalana*.[4] Tot i que ja fa anys que s'alcen

---

sobre Corella: «La prosa de Joan Roís de Corella es la respuesta, llena de talento y
arte personales, a un problema largamente sentido en la España cuatrocentista»;
«Imágenes del Prerrenacimiento español: Joan Roís de Corella y la *Tragèdia de Cal-
desa*», *Estudios de literatura española y francesa. Siglos XVI al XVII. Homenaje a Horst
Baader*, ed. Frauke Gewecke (Frankfurt a.M.: Klaus Dieter Vervuert, 1984), pp. 15-27
(15) (abreujat «Imágenes»). L'assaig es pot llegir en català al volum 50 de «Les Millors
Obres de la Literatura Catalana» (Barcelona: Edicions 62 i «la Caixa», 1980), pp. 11-
9. Rico, però, és un pro-corellista tant o més beŀligerant que el mateix Carbonell.

[2] Aquest tampoc no és el tema central d'aquest assaig, per això el tractaré breu-
ment a l'apartat II com a introducció a la qüestió que proposo: la diferència entre
les accepcions dels termes poesia i prosa en el llenguatge de la crítica del XIX i del XX
i en el mateix Corella contribueix a agreujar el problema de la «incomprensió» del
nostre autor. Vegeu més avall.

[3] Ja he dit que l'única edició filològica és encara la de Miquel i Planas de 1913. Ri-
quer dóna notícia d'una obra inèdita continguda en un incunable de 1488, la *Vesió*,
destinada a argumentar a favor de la Immaculada Concepció (*HLC*, III, pp. 280-3) i
Pere Bohigas va descriure els anys vint el ms. R.14.17 del Trinity College de Cam-
bridge, que conté versions d'obres de Corella no aprofitades en les edicions cor-
rents, a banda d'algunes d'inèdites. El manuscrit en qüestió em sembla de la prime-
ra importància, ja que és copiat en lletra humanística italiana de començaments del
XVI per Lluís Palau, notari de Tortosa, i inclou obres llatines de Giovanni Aurispa i
Leonardo Aretino, entre d'altres, ultra una selecció de proses corellianes sense nom
d'autor. *Sobre manuscrits i biblioteques* (Barcelona: Curial-Abadia de Montserrat,
1985), pp. 37-42. A p. 39 es publica la reproducció d'un full del manuscrit que es pot
comparar amb el facsímil del Maians, publicat a València (nota 1).

[4] És el famós discurs d'entrada de Rubió i Lluch a la Reial Acadèmia de Bones
Lletres de Barcelona, publicat el 1889, treball pioner pel que fa a l'estudi de l'herèn-
cia clàssica en les lletres medievals catalanes.

veus que el desmenteixen,[5] no sembla pas que l'entredit de Rubió sobre Corella s'hagi esvaït del tot, i és per això que crec pertinent d'aturar-hi encara inicialment l'atenció:

Bien merecen algunos pálidos elogios las muchas obras poéticas y prosaicas del fecundo valenciano Joan Roig de Corella, única estrella que en el cielo de nuestra poesía despide ráfagas de luz tan viva como las del que en él el astro-rey, único también que penetró en los secretos de la armonía rítmica con arte hasta entonces no igualado. Quien haya leído una vez siquiera los versos dirigidos a la Virgen Madre, teniendo en sus brazos á su hijo Jesús, ó los abrasados encarecimientos y terribles maldiciones que su pasión por Caldesa le sugiere, ni olvidará aquellas regaladas estancias llenas de unción y sentimientos, ni sus ardientes quejas, ni la respuesta encendida que un amor más o menos sincero pudo hacer brotar de labios de una mujer mundana. Como que no presenta nuestra poesía endecasílabos como aquellos, ni son frecuentes en aquel tiempo en ninguna otra.

Lastimosamente no está á la misma altura la sobrado acicalada y florida prosa de sus obras místicas y de sus numerosas imitaciones clásicas, las más de ellas ovidianas, convertidas muchas veces en animadas narraciones de carácter gótico clásico. Lejos de mi ánimo negarle fluidez y conocimiento de la lengua, y más lejos aún ocultar sus esfuerzos no infructuosos para enriquecerla y hacer de ella un tejido de primores de dicción, de libertades en los giros y de licencias no todas inaceptables. Sin embargo, hemos de reconocer que llevó sus deseos más allá de los límites debidos; que la violentó extremadamente en el lecho de Procusto de la construcción latina, y que por querer ser demasiado artístico degeneró en amanerado y hasta en de fatigosa lectura. Comienza a sentirse en él una

---

5 Carbonell assenyala a *Obra profana*, p. 9, un assaig seu del 1954 («Les paraules en l'estil de Joan Roís de Corella», *Homenatge a Carles Riba en complir seixanta anys* (Barcelona: 1954), pp. 140-2), i un d'Ana M. de Saavedra («El humanismo catalán: Roiç de Corella», *Clavileño*, 35, VI (1955), 43-7, com a capdavanters d'una «nova versió crítica» de l'obra del nostre autor. A les puntualitzacions biogràfiques i històriques de Riquer a *HLC* i a les notes per a la interpretació de Fuster a «Lectura» i del propi Carbonell a *Obra profana* cal afegir les profitoses insinuacions de Francisco Rico a «Imágenes» i també a la seva *silva* XXIV publicada al vol. IV de l'*Homenatge a R. Aramon i Serra* (Barcelona: Curial, 1984), pp. 235-6 i a *Primera cuarentena y Tratado general de literatura* (Barcelona: Quaderns Crema, 1982), pp. 91-3: «Caldesa, Carmesina y otras perversas».

especie de gongorismo clásico, síntoma fatal de decadencia y más fatal todavía para nuestra lengua, á quien no esperaban más anchos horizontes donde espaciarse ni nuevas auras regeneradoras.   (pp. 89-90)

El primer paràgraf planteja la divisió entre un Corella poeta excels i un Corella prosista més que sospitós. És evident que aquesta distinció parteix d'una idea de poesia postromàntica que valora l'originalitat, la creativitat i la sinceritat de forma militant i excloent. El bo i millor de la crítica catalana, de Carles Riba a Jordi Rubió i Balaguer,[6] ha aplicat durant aquest segle el seu propi concepte de poesia a la valoració dels clàssics medievals a la recerca d'autenticitats i de sinceritats, que certament ells no perseguien en els termes en què els són reclamades. No és aquest l'indret d'iniciar una discussió sobre aquesta qüestió general, però és sabut que la baixa Edat Mitjana no coneix la poesia (ni la literatura) com a regne teòric separat del de la ciència: una ciència fonamentalment moral, però també d'altra natura, com veurem i com explica molt detalladament i sortint al pas del diguem-ne «prejudici postromàntic», Judson B. Allen al seu *The Ethical Poetic of the Later Middle Ages*.[7]

En el cas del nostre autor, l'aplicació de l'esmentat prejudici ha dut a un carreró sense sortida: un mateix escriptor no pot ser execrable i sublim. Si agafem les coses des d'un altre punt de vista, podem arribar a la con-

[6] L'autoritat de Riba ha aprofundit el divorci entre la poesia i la prosa de Corella pel simple fet que existeix un treball d'aquest autor sobre l'*Oració a la Verge* del nostre autor, que es pot llegir a les pp. 224-6 de la reedició d'*Els Marges* (1920-1926) dintre de les seves *Obres Completes. II. Crítica, 1*, ed. a cura d'Enric Sullà amb pròleg de G.E. Sansone (Barcelona: Edicions 62, 1985). Per a una valoració d'aquest treball ribià, vegeu el meu «Riba i els nostres clàssics: Notes de lectura», *Actes del simposi Carles Riba*, a cura de J. Medina i E. Sullà (Montserrat: Publicacions de l'Abadia, 1986), pp. 231-41 (235-7). Per a fonamentar el que dic a propòsit de Rubió i Balaguer, remeto als epígrafs «Concepte i definicions de poesia», «Concepte de la poesia en Ausiàs March», «Un classicista català defineix la poesia» i «Termes savis, pedanteria, afectació» del seu llibre *De l'Edat Mitjana al Renaixement* (Barcelona: Aymà, 1948; reedició a Barcelona: Teide, 1979), pp. 37-55. Rubió i Balaguer es mostra dur amb el Corella prosista i elogia, en canvi, la novetat de la seva poesia; vegeu la seva *Història de la Literatura Catalana*, dintre de *Obres Completes de J. Rubió i B.*, vol. I (Montserrat: Publicacions de l'Abadia, 1984), pp. 458 ss.

[7] Toronto-Buffalo-Londres: University of Toronto Press, 1982.

clusió que l'escassa i innovadora producció lírica de Corella ha de significar que la seva producció no versificada també ha de ser igualment significativa i que, si no ho sabem veure, la culpa és sobretot nostra i no d'ell.

Seguidament Rubió i Lluch formula una valoració notabilíssima de la «prosa» corelliana: diu que les seves imitacions ovidianes són «de carácter gótico clásico». Parlaré més avall de com entenc aquest «goticisme»; el nostre crític, però, acompanya una tan brillant intuïció de dos retrets que, malauradament, han tingut més fortuna que no pas aquesta. Corella és reu de gongorime malaltís, per una banda, i de ceguesa històrica, per l'altra. Pel que fa a la primera acusació, es deixa entreveure un prejudici antibarroc de llarga durada a casa nostra,[8] davant del qual Martí de Riquer encara va tenir necessitat d'escriure el 1964:

> Corella exagera l'èmfasi de la prosa i es fa retòric i declamatori, però sabent fins a quin punt li ho permet el geni de la llengua i, sobretot, que entre l'ampul·lositat i el ridícul hi ha només una molt petita barrera que ell mai no saltà.
>
> (*HLC*, III, p. 319)

Pel que fa a la segona, en canvi, l'error del punt de vista crític és massa palès a hores d'ara perquè calgui insistir-hi. Els símptomes de decadència atribuïts a Corella i la seva insinuada irresponsabilitat pel fet d'escriure com escrivia essent el darrer dels «clàssics medievals», són consideracions que després dels escrits de Riquer, Carbonell i de Rico[9] esmentats a les notes anteriors ja no cal ni comentar. El miratge postromàntic és tan enganyós, que la valoració que avui considerem assenyada va exactament en direcció contrària: Corella, amb la seva formació de teòleg i de poeta d'antiga estirp trobadoresca, és un dels intel·lectuals del segle xv hispànic més dúctils i amatents a les innovacions estrictament literàries que exportava el Quattrocento humanístic italià. D'acord que això no és perceptible a primer cop d'ull, però la tasca de la crítica és precisament la de veure més enllà de les simples impressions. Sembla, doncs, totalment enraonat el que escriu Rico:

---

[8] Vegeu les reflexions que proposa sobre la qüestió Albert Rossich a «El barroc català. Una redescoberta tardana», *Revista de Catalunya*, nova sèrie, Núm. 3 (1987), 158-68.

[9] I de molts d'altres; vegeu més avall què afirma Riera i Sans a la nota 15.

Sería bien estúpido suponer que, pues Corella no tenía las virtudes del humanista ni las dotes del gran escritor medieval, no tenía virtudes ni dotes algunas dignas de estima. Nada menos cierto. Pero ocurre que sus logros no se dejan apreciar aislados, sino que exigen, con mayor urgencia que otros coterráneos y contemporáneos suyos, ser contemplados con una exacta perspectiva del contexto en que se producen. Leer a Corella requiere una continua apelación al sentido histórico. No se trata, no obstante, de hacer arqueología, sino de integrar la historicidad del autor en la experiencia estética del lector.

(«Imágenes», p. 18)

El darrer consell de Rico no sé si és aplicable a un lector extern al gremi dels historiadors de la literatura: convindria, però, que, almenys dintre del gremi, es difongués una mica aquesta actitud i deixéssim de parlar de Corella com Fuster diu que ho fa Miquel i Planas: «amb l'atenció incolora, gairebé maquinal, de l'expert en mòmies» («Lectura», p. 288, n. 9). Diguem també que per llegir Corella amb delectança cal compartir amb ell i el seu públic el gust pels clàssics, la retòrica i el melodrama.

En el present treball interpreto, en el marc de les teories que circulaven a la seva època i en el seu ambient, les afirmacions de Corella a propòsit del sentit doctrinal que s'amaga darrera dels exercicis d'imitació-recreació mitològica que proposa. Això comporta passar revista als *rifacimenti* clàssics del nostre autor al marge de tota lectura amb suport biogràfic,[10] ja que tracto d'explicar-me la coherència del discurs de Corella sobre l'amor i els mites i no la relació d'aquest amb experiències reals i concretes. Comencem, doncs, a veure com Corella maneja allò que l'autor del *Curial e Güelfa* anomenava la «reverenda letradura».[11]

[10] Fuster s'acull a aquesta via explícitament a «Lectura», p. 290, i Carbonell a *Obra profana*, pp. 16, 20 i 35. Aquest darrer, concretament, veu Corella com un clergue sense vocació, que escriu sobre l'amor com a terapèutica sentimental (idea fusteriana) i que al final de la seva vida evoluciona cap a una espiritualitat més sentida, «penedit». La religió és per a Corella un refugi davant de la vida de cavaller i diplomàtic que li hauria tocat viure com a hereu d'una família aristocràtica, perquè «l'actitud humana i l'obra literària de Corella són l'encarnació de la crisi de l'esperit cavalleresc» (p. 13). Probablement, aquesta «radiografia» es podria enriquir o matisar a la llum de les observacions que introdueixo en aquest treball.

[11] Crido novament l'atenció sobre aquesta etiqueta pomposa i pintoresca per

II. DE L'«ALT ESTIL D'ELEGANT POESIA»

Hi ha almenys dos autors del xv valencià que, segons com ens mirem les coses, han estat «devorats» per l'extremisme de les seves pròpies tries estilístiques: de Jaume Roig encara diem que, si hagués escrit en prosa, hauria estat un *best seller* (almenys com el *Tirant*);[12] a Corella se li ha retret, com hem vist, que la seva prosa fos més «boccaccesca» que no pas «ciceroniana», com la de Bernat Metge. Sembla que ha arribat el moment de desdramatitzar la importància d'aquestes tries estilístiques vistes individualment i d'inscriure-les en un context d'època que permeti, com a mínim, de contrastar-les les unes amb les altres. Potser descobrirem, aleshores, al darrera de les tries en qüestió, unes determinades militàncies literàries, que segurament podrem articular amb indicis de variada procedència per tal d'anar configurant la personalitat intel·lectual i la «poètica» dels escriptors afectats.

Per continuar amb l'exemple de Roig, la seva fidelitat «a una tradició narrativa del xii» (Riquer) no és evidentment ni casual ni inconscient: el fet que aquesta fidelitat passi per la reducció de l'octosíl·lab tradicional al seu increïble tetrasíl·lab (les noves rimades «comediades») em sembla revelador d'un propòsit clar d'innovar dintre d'un marc tradicional, que cal mantenir, però que, evidentment, s'ha fet insuficient. Si en aquestes circumstàncies cal mantenir-lo, ha de ser «en contra» d'alguna cosa. Observem encara com Roig, al *Spill*, recorre sistemàticament a la ficció d'un realisme distorsionat i apuntalat en els esquemes de la narrativa més tradicional (el protagonista desheretat triomfa gràcies a la seva traça cavalleresca i es casa), per poder construir una vasta moralització misògina semi-«face-

---

designar les deus del classicisme maldestre dels escriptors catalans del xv perquè la trobo emblemàtica. Vegeu el text anterior d'aquest volum factici i «La segona visió mitològica de Curial», a *Miscel·lània Badia Margarit*, 5 (Montserrat: Publicacions de l'Abadia) i a *Actas del Primer Congreso de la Asociación Hispánica de Literatura Medieval*.

[12] Riquer escriu, a la p. 242 del vol. III de la seva *HLC*: «Al meu entendre, el gran error de Jaume Roig fou escriure el *Spill* en vers, i precisament en aquest vers tan curt, amb la qual cosa, a mitjan segle xv, seguia fidel a una tradició narrativa del xii. Si hagués escrit la seva obra en prosa, avui la llegiríem amb molt més gust i tindria un nombre de lectors que difícilment pot assolir, i la nostra literatura comptaria amb una peça essencial en la història de la novel·la moderna».

cial», que aparentment reconeix com a única autoritat la Bíblia (lliçó de Salomó): no li parleu de «poesia», que us contestarà com Sant Vicent Ferrer: «*predicate Evangelium*; no diu *Virgilium*, ne *Ovidium, sed Evangelium*, car les doctrines poeticals no salven les ànimes».[13]

Val a dir que el terme «poesia» no remet entre els escriptors del xv de la corda de Sant Vicent o Roig al llenguatge versificat dels trobadors, sinó confusament al conjunt de la producció d'uns autors en principi clàssics (però també moderns, com per exemple Dante o Boccaccio), fascinant i perillosa alhora i sobretot de difícil i potser inútil penetració. Concretament, Roig afirma que la poesia «és ficta falsia, com Çent Novelles als hohents belles»[14] i amb això sembla tenir-ne prou per a desacreditar-la. En canvi, el mateix Roig, que era metge, ens presenta el seu *Spill* amb una entrada homilètica: «Tema: *Sicut lilium inter spinas, sic amica mea inter filias*».[15] Un tema, per cert, que, a banda de recordar un conegut senyal ausiasmarquià, evoca alhora l'excepcionalitat de la Verge i la de l'esposa, qüestions no gens indiferents en la inacabable discussió sobre l'amor pròpia de l'època.

Evidentment aquestes poques insinuacions no són suficients per a caracteritzar una diguem-ne «poètica» de Roig, però almenys sí que configuren una manera de fer literatura radicalment contrària a la dels cultivadors de l'«estil de valenciana prosa», i no únicament pel fet d'oposar uns diabòlics tetrasíl·labs apariats a uns períodes complexos plens d'incisos, de gerundis, de participis actius i d'hipèrbatons, sinó per un repertori bastant més ampli de tries culturals que giren entorn de la valoració que mereix la

[13] Sermó 31, edició J. Sanchis Sivera (Barcelona: Barcino, 1934; «Els nostres clàssics», 2), p. 56. Per a la negació vicentina, d'estricta ortodòxia tomista, d'aplicar l'exegesi bíblica a la poesia, vegeu l'apartat següent.

[14] Vv. 8800-8803, edició de R. Miquel i Planas (Barcelona: Biblioteca Catalana, 1929-50) vol. I, p. 132. Les *Cent Novelles*, versemblantment el *Decameron*, que diverteixen la gent, són, sembla, el prototipus de la literatura vàcua i prescindible. Aquest és el paper que fan almenys al v. 2864, en boca dels contertulians de la primera esposa del protagonista, que les barregen amb unes *Facècies*, filosofies de Plató, de Ciceró i de Cató, Dante, poesies i tragèdies, vv. 2865-70, p. 46. El sac de «la mala literatura» de Roig és bastant semblant al de Sant Vicent: aparentment, doncs, aquesta es col·loca a la seva mateixa trinxera.

[15] *Canticum canticorum*, 2,2; *ibid.*, p. 4.

«poesia» o, com deia més amunt, la «reverenda letradura». I amb això ja he arribat al principi del meu raonament sobre l'estil de Corella. Aquesta tensió a punt d'esclatar dels textos del nostre autor respon, com la maniobra contrària de Roig, a un credo literari: si Roig fugia de la «poesia» fent aquella mena de versos, Corella es proposa de cultivar-la en llengua vulgar intentant d'ennoblir al màxim totes les seves potencialitats sintàctiques (les que Roig rebenta més brutalment quan es veu obligat a prescindir dels enllaços), per tal d'estar a l'altura de la magnitud de la doctrina que la «poesia» estotja. I és que prendre en consideració la «poesia» comporta inevitablement el problema d'interpretar-la en les seves dimensions «científiques». Corella, com a teòleg, tenia eines per a dur a terme l'operació, com en altre temps Antoni Canals, com a teòleg també, se suposava que tenia la preparació suficient per a traduir Valeri Màxim o Petrarca.[16] Dedicaré el següent apartat al problema de l'exegesi dels textos clàssics en Corella: de moment, unes breus consideracions sobre la «celsitud» de la seva «valenciana prosa», pròpia de qui es llença a la palestra de la «vulgar poesia».

Al primer paràgraf del *Parlament en casa de Berenguer Mercader*, Corella estableix una jerarquització neta de les matèries en les quals s'ocupa:

> Per la çelssitut transsendent de la senyora de les sçiençies, sacra Teulogia, devallant, ab delitos estudi, en los florits e verts camps de afable poesia, levant les anchores de pereos oçi, leixats los prats de reposat sçilençi, estendre les candides veles, ab plaent exerçiçi, en les baixes antenes de vulgar poesia.   (1-15)

La teologia, reina dels sabers, es distingeix clarament de la poesia: Corella «davalla» de l'una a l'altra, però ho fa «estudiant amb delit»; senyal que la

---

[16] Darrerament Jaume Riera i Sans ha volgut insistir en el paper del teòleg Canals com a impulsor de l'«estil de valenciana prosa» fins al punt d'aventurar l'atribució d'una carta i d'assenyalar una data per a la primera documentació de l'estil en qüestió (el 1392), a «El primer text conegut en "estil de valenciana prosa": una carta atribuïble a fra Antoni Canals (1392), *Homenatge a R. Aramon i Serra*, vol. II (Barcelona: Curial, 1980), pp. 513-22 (521). Riera aprofita l'ocasió per a trencar una llança a favor de Corella: «El recargolament ampuŀlós de la prosa catalana, derivat directament de l'oratòria classicitzant ... no és un fenomen nascut la vigília de la "Decadència"» (522).

poesia, tot i constituir un grau de saber inferior al teològic i més «delitós», requereix anàlisi i concentració. Encara és possible, però, introduir una nova distinció: la «poesia» no és el mateix que la «vulgar poesia», de l'una a l'altra torna a haver-hi una «davallada», ja que el poeta es disposa a enganxar les veles de la seva navegació literària a unes «baixes antenes». De fet, la «poesia», en el nostre context, remet a les *Metamorfosis* ovidianes, i la «vulgar poesia» a les recreacions dels contertulians de Berenguer Mercader. Assenyalem encara que el fet de compondre imitacions clàssiques és entès com un «trencament del silenci» que evita l'oci; és el lloc comú de l'exercici de la poesia com una sanitosa manera de «squivar ociositat», que Bernat Metge, per ordre del rei, atribuïa a la composició de poesia de certamen.[17]

La jerarquització descrita no rebaixa, però, l'exaltació de la «vulgar poesia», la qual sempre es relaciona amb nocions tals com l'harmonia, l'elegància, i l'elevació de l'estil, com per exemple:

... però a don Johan Proxita, de entonació afectada tots pregaren no prengues a gran treball les nostres orelles la suavitat de les seus elegants paraules sentissen ...   (1001-1004)

... lo delit gran que la mia penssa ... ateny llegint l'alt estil de vostra elegant poesia ...   (*Lo juí de Paris*, 412-413)

Carbonell, a les pàgines 31 i 32 d'*Obra profana*, enumera els trets d'estil que objectivament constitueixen l'«alt estil d'elegant poesia»: recursos de caràcter sintàctic, retòric i prosòdic, encaminats a ampliar la frase romànica sobre el model de la llatina i a ornamentar-la amb jocs conceptuals, imatjats, fonètics o rítmics. El domini de la tècnica que permet dur a terme aquesta transformació del vulgar en llengua digna de la poesia defineix el valor d'un escriptor dels cercles de Corella. El mateix Carbonell detecta, però, una evolució en el domini d'aquesta tècnica en el nostre escriptor (*Obra profana*, p. 33), la qual cosa ens diu que la «valenciana prosa» era una «manera» no estrictament codificada; el nivell d'artització de la prosa en

---

[17] Carta del 19 de febrer de 1396 instant els Consellers de Barcelona perquè continuïn celebrant la festa de la Gaya Ciència, publicada per A. Rubió i Lluch al vol. I dels *Documents per a l'estudi de la Cultura mig-eval*, (Barcelona: Institut d'Estudis Catalans, 1908), pp. 384 s.

qüestió depenia de l'habilitat de cada u, i tenim força testimonis que atribueixen a Corella un mestratge indiscutit en aquest camp.[18]

Crec, però, que en l'embadaliment de certs sectors per la prosa artitzada s'hi pot entreveure, en certa forma, la precarietat de la tria estilística. Rico ens recorda que l'associació entre evocacions clàssiques i enfarfegament sintàctico-retòric s'origina en el fet que el coneixement dels autors antics s'havia vehiculat a través de traduccions literalment servils amb els models llatins. A més, afegeix, els homes del xv s'havien format en determinats hàbits d'escriptura, procedents de les *artes dictaminis*, que atribuïen elegància a l'ornat difícil i a l'ordre artificial del discurs («Imágenes», p. 16).

Pensant ara en una visió de conjunt del cultiu de la «valenciana prosa»[19] des de darreries del xiv fins als temps de Corella, es planteja la qüestió de la «modernitat» de Bernat Metge en relació amb els «excessos» corellians.[20] Metge abreuja el model llatí sobre el qual construeix, tant pel que fa al contingut estricte com pel que fa a la complicació de l'estil, mentre que Corella fa exactament l'oposat. La diversitat de solucions és palesa, però la qüestió que planteja és, al meu entendre, un pseudo-problema que cal remetre al tarannà intel·lectual de cada un dels protagonistes del drama i als públics per als quals escrivien.[21] Els punts que caldria replantejar (gairebé un segle separa Metge de Corella!) són els de l'evolució de la manipulació dels models culturals o de les fonts en l'elaboració dels textos que se'n fan derivar[22] i, de retruc, el de l'univers dels traductors i de les traduc-

[18] Vegeu *Obres*, pp. xxxviii-xliii; *Obra profana*, pp. 35-8.

[19] L'adopció d'aquesta etiqueta per a designar la prosa d'art catalana medieval, en contra de l'opinió de Jordi Rubió, *Història*, vol. I, p. 459 i seguint Riquer, *HLC*, vol. I, p. 319 (vegeu també nota 16), evidentment buida l'adjectiu «valenciana» de denotacions estrictament geogràfiques.

[20] Els termes de la comparació es poden definir amb tota precisió remetent a l'original ovidià (*Met.* X, 1-85) la recreació del mite d'Orfeu inclosa a *Lo somni* (edició Riquer, *Obras de Bernat Metge* (Barcelona: Universidad, 1958), pp. 258-264) i la que Joan Escrivà recita al llarg del *Parlament en casa de Berenguer Mercader* (*Obres*, pp. 246-53).

[21] Per a Metge, a més de la introducció de Riquer al llibre citat a la nota anterior, vegeu el text 4 d'aquest llibre.

[22] Necessitem minucioses avaluacions de l'ús de les fonts de tots els autors afectats de «valenciana prosa», de l'estil de les que es troben en els treballs de Rico, «Pe-

cions (¿no era la traducció el vehicle fonamental de la construcció de l'«estil de valenciana prosa»?).[23]

Finalment, sembla que les professions més habituals dels escriptors (notaris, teòlegs) han de tenir també el seu paper en el camp de la decantació dels gustos literaris que discutim. Hom s'ha ocupat de la Cancelleria i dels seus notaris, secretaris i escrivans diversament afeccionats als *auctores*;[24] també caldria plantejar-se seriosament l'adopció de la «valenciana prosa» per a escrits espirituals, més o menys desvinculats de la «poesia» dels antics. L'operació, ja en mans d'un Felip de Malla, per exemple, fa pensar en una categorització a part de la prosa d'art, que salta de les «baixes antenes de vulgar poesia» a la mare dels sabers, la sagrada teologia.

M'ocuparé de moment d'aquell primer esglaó corellià i fixaré l'atenció en qüestions altres que l'estil, que no em sembla ni de bon tros l'únic punt interessant del quefer literari del maleïdor de Caldesa: la descripció de determinats mecanismes de lectura de la «poesia» i la conseqüent interpretació dels seus motius més recurrents: l'amor i la guerra, vells protagonistes de la tradició romànica i trobadoresca medievals.

---

trarca y el 'humanismo catalán', *Actes del sisè col·loqui internacional de Llengua i Literatura catalanes* (Montserrat: Publicacions de l'Abadia, 1983), pp. 257-92 i «Antoni Canals y Petrarca. Para la fecha y las fuentes de *Scipió e Aníbal*», *Miscel·lània Sanchis Guarner* (València: Universitat, 1984), vol. I, pp. 285-8. Vegeu també el text 4 d'aquest llibre.

[23] Penso, per exemple, en el fenomen de les dobles traduccions d'obres clàssiques, en casos com el de Canals o, més tard, Alegre o Arnau d'Alfarràs, que repeteixen l'exercici d'anostrar Valeri Màxim, l'Ovidi major o la *Regula Sancti Benedicti* quan ja en circulaven versions més antigues. Evidentment, no es tracta de seguir el suggeriment de P. Russell al seu *Traductores y traducciones en la Península Ibérica (1400-1500)* (Bellaterra: Publicacions de la UAB, 1985), p. 9, quan se'n va pels camins del particularisme «regional». Vegeu T. Martínez, «Una aproximació a les traduccions peninsulars de les *Epistulae ad Lucilium*. La doble traducció catalana», *Llengua & Literatura*, I (1986), 111-49, especialment la nota 29.

[24] Vegeu, per exemple, els clàssics: M. Olivar, «Notes entorn la influència de l'Ars dictandi sobre la prosa catalana de cancelleria de finals del segle XIV», *Homenatge a A. Rubió i Lluch* (Barcelona: 1936), vol. III, pp. 632-53, i J. Rubió i Balaguer, «Influència de la sintaxi llatina en la Cancelleria catalana del segle XV», *Boletín de Dialectología Española*, 33 (1954-5), 357-64.

III. MORAL I LITERATURA

El goticisme que Rubió i Lluch advertia en les proses mitològiques de Co-
rella no pot fer referència a altra cosa que als aspectes tradicionalment me-
dievals de la seva manera d'acostar-se a les faules antigues. Comptant que
Ovidi és la principal font clàssica del nostre autor, no caldrà que allargui
aquests papers amb consideracions sobre la capiŀlaritat de la seva difusió a
les lletres catalanes medievals, perquè ja vaig tractar la qüestió en unes no-
tes publicades al primer volum dels *Studia in honorem prof. M. de Riquer*.[25]
Així doncs, abans de qualificar de «diferent», en el sentit de «modern»,[26]
l'ús que Corella fa dels materials clàssics sobre els quals basteix les seves
«poesies», faré algunes observacions de context.

   Giovanni Boccaccio, el gran propagandista del tres-cents del valor in-
teŀlectual i artístic de les faules dels poetes, defineix la poesia com un do
que Déu concedeix a uns pocs elegits, els quals saben conduir el fervor
creatiu a imaginar admirables fingiments:

> Poesis enim, quam negligentes abiciunt et ignari, est fervor quidam exquisite
> inveniendi atque dicendi, seu scribendi, quod inveneris. Qui, ex sinu Dei pro-
> cedens, paucis mentibus — ut arbitror — in creatione conceditur; ex quo, quo-
> niam mirabilis sit, rarissimi semper fuere poete. Huius enim fervoris sunt subli-
> mes effectus, ut — puta — mentem in desiderium dicendi compellere, pere-
> grinas et inauditas inventiones escogitare, meditatas ordine certo componere,

---

[25] Barcelona: Quaderns Crema, 1986, pp. 79-109. El títol de les notes és: «Per la
presència d'Ovidi a l'Edat Mitjana catalana, amb notes sobre les traduccions de les
Heroides i de les *Metamorfosis* al vulgar».

[26] Riquer a *HLC*, vol. I, p. 305, atribueix aquesta «modernitat» a la delectança de
Corella i dels seus contertulians en uns temes amatoris que Eiximenis anatematit-
zava dient que «encenen los lligents a carnals delits e altres mals». Carbonell és més ra-
dical quan afirma que «En les seves obres jovenívoles no hi trobem ni elements religio-
sos ni tan sols elements moralitzants, tan freqüents en les obres de tema clàssic dels
escriptors humanistes de l'època», *Obra profana*, p. 21. A la p. 26 del mateix llibre cata-
loga sense cap reserva l'interès de Corella per Ovidi i Sèneca entre els símptomes
«humanístics» absolutament innovadors introduïts per Metge en la literatura catalana.
Que consti que no pretenc negar, sinó tan sols matisar la «modernitat» corelliana.

ornare compositum inusitato quodam verborum atque scientiarum contextu, velamento fabuloso atque decenti veritatem contegere.[27]

[La poesia, en efecte, que els descurats i els ignorants deixen de banda, és una mena de fervor de trobar i de dir o escriure allò que has trobat. El qual, procedent del si de Déu, és concedit — em sembla — a poques ments en l'acte de la creació; per això, perquè és meravellós, els poetes sempre han estat raríssims. Els efectes d'aquest fervor, de fet, són sublims, com, per exemple, impulsar la ment en el desig de dir, trobar invencions peregrines i inaudites, compondre-les en un ordre establert després d'haver-les trobat, ornamentar la composició amb una textura insòlita de paraules i de ciències, amagar la veritat amb un embolcall fabulós i condigne.]

La coneguda definició boccaccesca posa èmfasi en l'excelsitud del text poètic, aconseguida a través d'un estil treballat i, d'acord amb una tradició de vella nissaga neoplatònica que remunta com a mínim a Macrobi, dóna per descomptat que darrera de les ficcions dels poetes hi palpita la Veritat (la majúscula obeeix a les intencions de l'autor). La formulació del certaldès, suara transcrita, continguda al llibre 14 de les seves *Genealogiae deorum gentilium* no fa més que ploure sobre mullat: les faules dels poetes són admirables per com són escrites i pel saber que guarden. En l'àrea catalana Francesc Alegre és el més fidel seguidor d'aquesta proposta: les al·legories que acompanyen la seva versió de les *Metamorfosis* (impresa a Barcelona el 1494) són bastides precisament a base de materials extrets del compendi boccaccesc esmentat.[28]

Les opinions sobre la naturalesa del saber que estotgen les faules són força variades. Enrique de Villena prenia al peu de la lletra que la poesia era un vehicle privilegiat del saber i creia, posem per cas, que l'*Eneida* virgiliana era un compendi de totes les ciències (físiques, polítiques i fins màgiques), i quan en va emprendre la traducció castellana va planejar d'ex-

---

[27] Giovanni Boccaccio, *Opere in versi, Corbaccio, Trattatello in laude di Dante, Prose latine, Epistole* (Milà-Nàpols: Ricciardi, 1965), p. 940 és el capítol VII del llibre XIV de les *Genealogiae deorum gentilium*. Traducció castellana (Madrid: Editora Nacional, 1983), pp. 795-866. Entre el 1350 i el 1375.

[28] Vegeu les pp. 87-94 del meu article esmentat a la nota 25, on s'ofereix una valoració tècnica d'aquestes al·legories.

treure'n en un ampli comentari tots els continguts més recòndits.[29] Una tasca d'aquesta naturalesa portava com a conseqüència un oblit quasi total dels aspectes estètics de l'original: «ni el latín de Virgilio, ni la sensibilidad lingüística se dejan filtrar en el léxico del Villena glosador», escriu Cátedra («Exégesis», p. 66). Tanmateix, Villena confessa posseir ambicions literàries des del moment que afirma que pretén de «beatificar la lengua castellana» traduint i explicant Virgili segons el seu criteri «cientifista» (*ibid.*, p. 65).

L'experiència virgiliana de Villena, que es va formar a la Gandia del duc Alfons «el vell» i de Pere March a les darreries del xiv, queda molt lluny de les proses corellianes, però ja hem dit que d'opinions sobre el contingut de les faules dels poetes al segle xv en circulen de molt diverses. L'*opera prima* conservada d'aquell escriptor, *Los dotze treballs d'Hèrcules*, escrita originàriament, com és sabut, en català (i que Martorell coneixia),[30] ja ofereixen, per exemple, un tipus d'al·legorització més evemerista i d'ètica política, més convencional.[31] El que és «convencional» en aquest terreny és decantar la balança del contingut doctrinal de les faules cap als ensenyaments de filosofia natural i moral (les conegudes «moralitzacions»), la qual cosa entronca ja directament amb la discussió a propòsit dels mètodes d'exegesi aplicables a la interpretació de les faules.[32] I ja que hem parlat dels treballs d'Hèrcules, serà bo de recordar que Coluccio Salutati, autor d'una substanciosa al·legoria d'aquest mite, va dedicar el primer llibre del seu tractat a proclamar novament les excel·lències de la poesia; per a ell la poesia deixa de ser entusiàsticament a la manera de Boccaccio la ficció que embolcalla una veritat misteriosa i arcana, per tornar a ser

---

[29] L'edició i l'estudi d'aquesta obra que va realitzar P. Cátedra en la seva tesi doctoral, presentada a la Universitat Autònoma de Barcelona, són encara inèdits; vegeu el seu «Exégesis-ciencia-literatura», *El Crotalón* (1985), 29 ss. (abreujat «Exégesis»).

[30] Veg. *HLC*, vol. II, pp. 699 ss.

[31] Llegim provisionalment l'obra en la versió castellana del propi autor editada per Margarita Morreale a *Los doce trabajos de Hércules* (Madrid: Real Academia Española, 1958).

[32] Vegeu Don Cameron Allen, *Mysteriously Meant* (Baltimore-Londres: Johns Hopkins, 1970), pp. 163-99 i *passim*, i novament «Exégesis», capítol III de la introducció.

el que havia estat sempre a l'Edat Mitjana: la capacitat dels poetes de lloar el bé i mortificar el mal a través dels productes de la seva imaginació literària. Coluccio afegeix que això els agermana amb els oradors i amb els filòsofs, i la cosa no representa precisament una revolució teòrica; els *accessus* dels *auctores* des del segle XII insisteixen que, a l'hora de classificar la poesia entre les ciències, «ethicae subponitur quia de moribus tractat»: «omnes auctores fere ad ethicam tendunt» [se subordina a l'ètica perquè tracta de costums: gairebé tots els autors tendeixen a l'ètica].[33]

Com es desprèn de la caracterització que fa Rico de l'horitzó intel·lectual de Corella i el seu públic al començament del seu «Imágenes», les imitacions clàssiques que va compondre i que aquí ens interessen són fonamentalment un entreteniment entès com a culte, refinat i elitista: no oblidem, però, que el nostre autor, com he reportat a l'apartat anterior, usa el terme marcat de «poesia», i ens fa saber que dedicar-s'hi comporta un «delitós estudi». D'altra banda, tenim una dada evident per posar-lo en relació amb el món de les lectures morals de les faules clàssiques: Corella ens ofereix una extensa al·legoria del primer mite del cicle de Troia a l'obra *Lo juí de Paris*, escrita, segons que ens diuen els manuscrits,[34] en col·laboració amb mossèn Joan Escrivà.

Escrivà encapçala el seu relat del mite de Paris amb una breu introducció dirigida a Corella sense convencions formals epistolars. El mot «poesia» hi designa el relat de la faula que ha escrit ell mateix imitant la manera de Corella (que li sembla magistral); la «poesia» en qüestió és qualificada concretament de «fingida visió». El primer mot remet a un terme habitual a l'Edat Mitjana per a designar les creacions de la imaginació poètica dels clàssics (en sentit tant positiu com negatiu), el segon és freqüent entre els autors catalans del XIV i del XV per a designar una peça literària on predo-

---

33 Coluccio Salutati, *De laboribus Herculis*, edició de B.L. Ullman, 2 vols. (Zurich: Artemis Verlag, 1951); vegeu vol. I, llibre I. El text de Coluccio és escrit entre el 1378 i el 1406. Per a la identificació de la poesia (i, més àmpliament, de la literatura) amb la moral a la tardor medieval, vegeu J.B. Allen, *The Ethical Poetic of the Middle Ages*, esmentat a la nota 7, especialment el capítol 1: «Ethical poetry, poetic ethics, and the sentence of poetry».

34 Riquer ho posa en dubte, com si tot fos una nova «ficció» de Corella (*HLC*, vol. III, p. 313).

mina la ficció.[35] El text vulgar que engipona Escrivà reclama de Corella una «al·legoria», entesa com l'explicitació de la «veritat» que enclou.

El morós relat que segueix, amb un desdoblament de la triple presentació de les deesses (*Obres*, pp. 285-98), provoca una resposta de Corella que comença amb una introducció tan breu com la del seu interlocutor, en la qual dóna la seva aprovació a la prosa del col·lega, que queda així assimilada a l'«alt estil d'elegant poesia» que fa al cas. Corella li diu que, malgrat que ha llegit la història moltes vegades i en diversos llocs, mai no l'havia vista tan «arreada»; la qual cosa és una pista per als recercadors de fonts, que fins ara (Miquel i Planas, Riquer) només han pogut remetre als versos 51-88 de l'*Heroida* 16, que, si bé exposen tots els detalls del judici de Paris, són d'una brevetat i d'una concisió que no té res a veure amb la llarga amplificació que precedeix. D'altra banda, Escrivà prescindeix de la presència d'Hermes com a presentador de les deesses al jove pastor; l'absència de tota al·lusió a l'episodi de les noces de Peleu i Tetis i la insistència en l'amor del Paris jove per Enone (esmentada al v. 196 de l'*Heroida* 17) pot fer creure, tanmateix, que darrera de la nostra «poesia» hi ha efectivament Ovidi. Com en certs episodis «visionaris» del *Curial e Güelfa*, però, hom té la sospita que a més d'Ovidi la font no sigui un tapís o qualsevol altre element decoratiu «arreat» amb motius clàssics.[36] Aquí ho fa pensar el detallisme de la descripció dels vestits que es treuen successivament les tres deesses. No cal dir que la sospita de la interposició d'aquesta mena de fonts iconogràfiques planteja un munt de problemes tècnics i, allunyant l'anàlisi de la mera comparació entre un original i la seva recreació, posa en primer pla l'exercici del que en podríem dir la «lliure creativitat» de l'escriptor.

En les frases convencionals d'acceptació de l'encàrrec al·legoritzador, Corella adopta sense fissures l'actitud del teòleg pràctic en l'aplicació dels mètodes escolàstics de lectura de la *sacra pagina*: ens fa saber que la teologia és la seva màxima ocupació d'estudi i que la seva ploma s'exercita nor-

---

[35] Vegeu *La Vesió* de Bernat de So, que pertany al món de les noves rimades al·legòriques; també és una «visió» *Lo somni* de Bernat Metge, segons que expressa Ferran Valentí al pròleg a la *Traducció de les Paradoxa de Ciceró* (edició J.M. Morató, Barcelona: Biblioteca Catalana d'Obres Antigues, 1959, p. 41).

[36] Vegeu el segon dels meus treballs sobre el *Curial* esmentats a la nota 11.

malment en la redacció de sermons. Així doncs, parlant com un professional de la teologia, Corella accepta sense parpellejar que els poetes, al darrera de la lletra dels seus «documents», acostumen a amagar-hi els tres mateixos «senys» que amaga la lletra de l'escriptura, a saber: el moral o tropològic, el natural o al·legòric i el teològic o anagògic. L'ortodòxia tomista seguida al peu de la lletra per Sant Vicent Ferrer desaprovava radicalment aquest tipus d'afirmacions, ja que els tres sentits místics, estrictament parlant, no són atribuïbles als autors humans de l'escriptura sinó al mateix Déu inspirador.[37] La desaprovació vicentina formulada a principis del XV tenia òbviament propòsits polèmics; ja feia cent anys que Dante havia explicat amb voluntat didàctica les mateixes coses que Corella a propòsit de la poesia al capítol I del tractat II del seu *Convivio*.

El florentí considera que el sentit que cal exposar en els textos dels poetes és l'al·legòric (i posa com exemple l'ovidiana descripció de l'amansiment de les feres per part d'Orfeu): el sentit moral o tropològic i l'anagògic pertanyen a la *sacra pagina*. Si tenim en compte, doncs, la prohibició de l'ortodòxia tomista, que Corella vulnera, i la diversitat d'opinions que manifesta en relació amb Dante, quan afirma que la seva al·legoria en termes tècnics és precisament una tropologia (és a dir una lectura moral i no de filosofia natural), veurem que l'exercici exegètic que ens ofereix *Lo Juí* corellià comença a tenir un cert interès.

Així doncs, cal retenir que el nostre autor segueix la línia de l'exaltació de la poesia rellançada per Boccaccio, sense altra reticència que la de titllar, dintre de la tradició medieval més difosa,[38] de «diabòlica», la «teologia» pagana. El breu text teòric corellià sobre exegesi, d'altra banda, només té un agafador per a remetre'l a alguna tendència, quan l'autor afirma (com Dante) que no s'han d'exposar els quatre sentits dels textos poètics, perquè només la Bíblia els conté tots. Tractant-se de poesia tan sols basta «la fi per la qual se diu expondre». Entenc que la reducció de l'al·legoria a la tropologia és una decisió personal de Corella: gràcies a això podrà reconduir el discurs exegètic cap a una ensenyança moral, digna dels sermons que l'ocupaven abans de posar-se a exposar les ficcions d'Escrivà.

Tanmateix, l'exemple que dóna a aquest, per tal de refrescar-li la me-

---

[37] Vegeu Beryl Smalley, *Lo studio della Bibbia nel medioevo* (Bolonya: Edizioni Dehoniane 1972), p. 416, i també «Exégesis», pp. 33 ss.

[38] J. Seznec, *La survivance des dieux antiques* (París: Flammarion, 1980).

mòria de com s'exposa un sol sentit, és religiós. Sembla que el mateix text triat, la paràbola de la vinya de Mateu, 20, explicita d'entrada «la fi per la qual se diu expondre»: «Simile est regnum caelorum homini patrifamilias ...». D'aquí que Corella vegi claríssim, seguint l'homilia 19 de Sant Gregori, que els primers obrers llogats que murmuren representen els patriarques i els profetes, i els darrers, els gentils acollits com ells, malgrat haver arribat tard, «en la cort de Parahis».[39]

El sentit últim de l'exposició pròpiament dita del mite de Paris defensada per Corella és tan antic com el text del Mitògraf Vaticà III.[40] Paris representa l'adolescent que ha de triar entre tres models de vida que s'exclouen els uns als altres. Minerva representa tradicionalment la vida contemplativa del savi (Escrivà i Corella afegeixen la glòria militar als seus dons); Juno, la vida pràctica del ric i el poderós; Venus, la vida lasciva de l'amant dels plaers de la carn. La tria de Paris és la més abominable: tota l'Edat Mitjana sembla unànime en la valoració, vist que tal tria és ni més ni menys que el desencadenant dels desastres de la guerra de Troia. Per això Dante col·loca Paris a l'infern entre els luxuriosos (*Inf.* V, 67) al costat d'un altre adúlter famós: Tristany.[41]

[39] *Patrologia Latina*, 76, 1153 ss. En realitat la cosa és més complicada, perquè la interpretació de les *Homiliae in Evangelia* gregorianes no és naturalment l'única possible. Sant Jeroni, per exemple, als seus *Commentaria in Matheum* (*Corpus Christianorum*, s.l., 77, p. 175) troba que més aviat li sembla («Mihi videtur...») que les diverses lleves d'obrers contractats fan referència a les edats de la vida en què els homes emprenen el servei de Déu, malgrat que després també reprodueix la interpretació que abona Corella. El mateix Sant Gregori és capaç de llegir sabers bastant més poc evidents a Mateu, 20 (10-11) al c. 42 del llibre 35 dels seus *Moralia in Job* (P.L. 76, 775). En realitat, la tropologia que ens indica Corella és una lectura «històrica» (la que proposa Sant Jeroni és més «moral»), bastant aferrada al sentit de la lletra. ¿Té alguna cosa a veure amb la identificació entre *tropologia* i *littera* de què es parla a «Exégesis», p. 36, nota 64?

[40] *Scriptores rerum mythicarum latini tres Romae nuper reperti*, edició G.H. Bode (Celle: 1834; reprint a Hildesheim: Olms, 1968), vol. I, p. 241. En canvi no té res a veure amb l'horitzó de Corella la lectura dumeziliana del mite de Paris sobre l'esquema antropològic trifuncional, recentment evocada per Jaume Pòrtulas a «Tombeau de Dumézil», *Els Marges*, 38 (1987), 5.

[41] El mateix veïnatge és descrit per Matfré Ermengaud al començament del seu «Perilhos tractat» inclòs al *Breviari d'amor*, vv. 27842-3, edició G. Azaïs (Béziers-

Voldria subratllar que l'oferta de Minerva, glòria militar i saviesa, s'avé perfectament amb el model del cavaller-poeta que encarna Curial a la novel·la homònima i que respon a un lloc comú molt difós al xv peninsular.[42] Això permet que la refutació dels tres models de vida que introdueix el nostre autor tingui més actualitat. La derivació doctrinal de l'exposició no té pèrdua. Corella identifica Juno amb l'avarícia i reuneix uns quants arguments *de contemptu mundi* que acaben amb una exaltació de la pobresa dels apòstols. Dels dos dons de Minerva, Corella sembla veure ara tan sols la glòria militar — recordem que per a Curial el saber és també subsidiari dels seus èxits amb les armes —. Això permet d'afegir nous arguments als ja acumulats: la vanitat de la glòria mundana és exemplificada a través d'alguns episodis d'història romana, reconduïbles a grans trets a Valeri Màxim i a Livi, els quals es clouen amb una referència dantesca que ja va comentar Riquer (*HLC*, vol. III, p. 313).

La proximitat que Dante assigna a Brutus, assassí de Cèsar amb Judes, traïdor de Crist (*Inf.* 34, 62-65), és aprofitada per Corella per a reconduir el seu *exemplum* pagà a la més pura ortodòxia cristiana de la línia dura. Els màrtirs anònims, diu, després del judici final poblaran el paradís; els guerrers pagans, com Cèsar o Anníbal, amb tota la seva enganyosa glòria, «hoyran aquella trista veu, de eterna sobre totes delorosa sentença». Aquest final no pot no recordar un episodi bastant semblant de les meditacions sobre la mort que Llull inclou a la seva *Doctrina pueril*:[43]

> ¿On són, fill, tants emperadors, reys, comptes, barons, prelats, qui són passats d'esta vida? ¿Ne on és Alexandri, que fo senyor de tot lo món? ¿Ne qui és qui parle d'éls, a honrar s'entremeta? E veges, fill, com són honrats, celebrats, remembrats, pregats, los Apòstols e·ls altres màrtirs qui són morts per la amor de Déu.

Un autor que recomanava de no posar exemples de romans perquè és més pràctic posar-los de tàtars (que són vius i encara poden ser arrencats del seu paganisme),[44] és capaç de produir en ple segle xiii una versió de

---

París: Société Archeologique Scientifique et Littéraire de Béziers, 1862-1881; reprint a Ginebra: Slatkine, 1977), p. 431.

[42] Vegeu el meu article esmentat a la nota 36.

[43] Edició Gret Schib (Barcelona: Barcino, 1971), p. 212.

[44] Vegeu el meu «No cal que tragats exempli dels romans», *Estudis de Llengua i*

l'*ubi sunt* d'una serenor «clàssica» que contrasta violentament amb l'arrauxament exacerbat de la condemna corelliana, dita, això sí, en el més alt «estil de valenciana prosa» a les darreries del xv. El teòleg Corella, pel fet d'estudiar la literatura dels pagans (i de gaudir-ne), ¿encara sent com una amenaça els famosos exabruptes de Sant Vicent, que imaginava Aristòtil cremant a l'infern per idòlatra i insistia que als sermonadors els ha estat dit que han de «*praedicare Evangelium*, no ... Virgili ne Dantes» (*HLC*, vol. II, p. 258)?

L'entusiasme boccaccesc del nostre autor per la poesia, doncs, se'ns va matisant profundament. Les consideracions que precedeixen ens haurien de fer assumir seriosament que no és possible separar en Corella, com en cap medieval (vegeu el llibre esmentat a la nota 7), la moral de la literatura. Però encara ens diu més coses *Lo juí de Paris*.

La identificació de Venus amb la luxúria és presentada amb colors catastròfics; la tria que en fa Paris provoca l'acompliment del seu do, la concessió al jove troià de la dona més bella, l'esposa de Menelau, «per la qual encara de present, entre tots los vivents, per tragedia sobre totes trista, de la misera e cruel destrucció de Troya totes les nacions ab dolor parlen». Paris paga amb la seva mort i el genocidi dels seus el preu de la tria. L'*exemplum* de Troia sintetitza admirablement la idea que té Corella de l'amor.

L'amor és tan sols l'explosió criminal del desig de la carn, i tots els afalacs que l'envolten (els que havia magnificat la tradició de la fina amor, mantinguts o debel·lats diversament a partir del segle xiii com es pot veure ja a les pàgines del *Perilhos tractat* d'Ermengau, o els que descriu Ovidi en les seves poètiques ficcions) són, en termes rotunds de Fuster, «cobertura, vehicle o supuració de la pitjor de les concupiscències, d'una concupiscència incontrolable, tenaç en els seus designis i marginal a qualsevol decisió ètica» («Lectura» p. 299). Totes les «visions» mitològiques corellianes giren entorn d'aquesta idea o de l'*exemplum* màxim d'aquesta idea que és el mite de Troia en el seu conjunt.

Davant d'aquesta inamovible veritat explicitada en l'exposició tropològica de l'episodi del judici de Paris, Corella acaba amb unes reflexions personalitzades, una confessió en primera persona que clou l'adoctrinament amb una aplicació pràctica destinada a reblar-ne el valor emblemàtic. La conclusió és idèntica a la de l'*Espill* de Jaume Roig: la solució

Literatura Catalanes, 3 = *Miscel·lània Pere Bohigas*, 1 (Montserrat: Publicacions de l'Abadia, 1981), pp. 88-94.

contra els enganys del tracte amb les dones és la solitud. Corella, però, planteja la renúncia a la pràctica de l'amor amb un dramàtic sobrepreu de dolor.[45] L'ideal ascètic que Roig sustenta, seguint arcaics ideals monacals, sobre la denigració sistemàtica de la femella, adquireix en el nostre autor els colors del melodrama sentimental, en el qual tan culpable és l'home com la dona. Aquesta és la boccaccesca «filosofia de l'amor-passió» que Corella exhibeix i que no té espai en els versos d'un misògin militant. Entreveiem en aquestes extremositats (les de Roig i les de Corella) la crisi profunda de la idealització de l'amor que recorre de dalt a baix tot el segle xv d'expressió catalana i que té en Ausiàs March un dels representants més il·lustres.

Des d'aquesta òptica, és com si el discurs sobre l'amor del nostre autor es bastís a partir de l'experiència d'aquest darrer, que, com assenyala Riquer (*HLC*, vol. III, pp. 254-6), era amic de família de can Corella. El cicle de Caldesa, en el qual l'estimada (Caldesa és la Beatriu, la Laura, la «Llir entre cards» del nostre escriptor) és identificada amb el model de la dona perversa, de qui parlaré més avall, malgrat pertànyer a la primeríssima època de la seva producció (la *Tragèdia* és del 1458), ja dóna una idea perfectament acabada de la «filosofia de l'amor-passió» en qüestió. Com he apuntat més amunt, Corella se'ns presenta no com «el lloador de Caldesa» (vegeu el famós final de la *Vita nuova* dantesca), sinó com el seu «maleïdor»: heus ací un programa de moral i literatura en el qual els episodis autobiogràfics tenen un paper realment secundari.[46]

Quan Riquer tracta de la cronologia de les obres de Corella (*HLC*, vol. III, pp. 316-7) arriba a una hipotètica reconstrucció d'una «època mitològica» de l'escriptor, situable «abans i al voltant del 1471, data que ens proporciona *Lo parlament en casa de Berenguer Mercader*». Les observacions sobre l'estil corellià plantejades per Carbonell (*Obra profana*, pp. 30 ss.) no desmenteixen aquesta hipòtesi, ja que ens remeten a una evolució dels recur-

---

[45] Corella introdueix el tema amb un joc d'antítesis de clar gust trobadoresc que ja va desenrotllar, com indica Riquer (*HLC*, vol. III, p. 312), en el debat epistolar amb Carles de Viana, estudiat per Carbonell a «Sobre la correspondència literària entre Roís de Corella i el Príncep de Viana», *Estudis Romànics*, V (1955-6), 127-40.

[46] L'autobiografisme és un procediment que garanteix el realisme de les ficcions amatòries, com bé sabien Juan Ruiz i Bernat Metge, i no parlem de Catul i Ovidi, creadors de les perversíssimes Lèsbia i Corinna, traïdores nates dels seus concupiscents enamorats.

sos d'estil entre el 1458 (data de la *Tragèdia de Caldesa*) i el 1471, l'any del *Parlament* (Carbonell veu un «moment clau» entre el 1460 i el 1462). L'ús del gerundi pleonàstic, absent en la *Tragèdia*, i present a partir del «moment clau», situa segons aquest crític *Lo juí* i la *Història de Leànder i Hero* cronològicament al final de la producció profana.[47] Retinc que els pocs agafadors materials que hi ha per a bastir una cronologia interna de l'obra mitològica de Corella no s'oposen a la proposta de considerar-la un bloc ideològicament homogeni. Les «revelacions» teòriques, doncs, de *Lo juí de Paris* bé poden valer per a les altres «poesies», passades totes per les mans d'un cavaller que va obtenir el títol de mestre en teologia entre el novembre del 1468 i el febrer del 1471 (*HLC*, vol. III, p. 256).

Així, doncs, si repassem les «visions» mitològiques de Corella a la recerca de moralitzacions implícites o explícites, el text que ens ofereix més agafadors és sens dubte el *Parlament*. Les «floretes» de les *Metamorfosis* amb què es delecten els contertulians de Berenguer Mercader (identificats per Riquer, *HLC*, vol. III, pp. 313-5) s'emmarquen en una «cornice» narrativa que ja va fer pensar Miquel i Planas en el *Decameron* (*Obra*, p. lxvii). Aquest marc serveix per a introduir diverses digressions del «coronista», que són del més gran interès pel que fa a la interpretació que cal donar a les «ficcions» tan delitoses que ens proporciona.

Després de la breu «poesia» de Lluís de Castellví sobre les aberracions de Pasífae, passada ja gran part de la nit, els reunits convenen que «altre delit, sens mescla de enug, en aquest mon atenyer nos deixa, sino ab comunicaçió de virtuoses persones, en vida e entendre conformes» (985-8). L'amistat serena de barons virtuosos que contemplen des de lluny les fascinants i esgarrifoses tempestes de la mar de Venus sembla ser, de fet, el substitutiu real de la pràctica de l'amor segons Corella. Una versió moderada i civilitzada dels esgarips ascètics de Roig de què parlava més amunt; i sobretot una versió passada per la veneració de la «reverenda letradura». El tema, doncs, de la «jornada» nocturna dels nostres cinc narradors, els «naufragis de aquells qui, en ella ffollament navegant [la mar de Venus],

---

[47] Vegeu la nota 31 de Riquer a *HLC*, vol. III, p. 313, on es mencionen les dues «edicions» del *Juí*; la primera, que és al manuscrit de Mayans, no al·ludeix al final del text al mite de Leandre, i la segona, la del *Jardinets d'orats*, sí. La inclusió de l'*exemplum* de Leandre fa creure que hi ha una circularitat de pensament en les «poesies» corellianes. Vegeu més avall.

dolorosa e miserable fi prenen» (17-19), és ja tot un programa moral, perfectament homologable, d'altra banda, amb l'exposició del mite de Paris de què hem parlat.

Els cinc casos luctuosos que es narren proven per *exempla* el tema. No som tan lluny dels procediments d'un Ausiàs March, quan al poema I, «Així com cell qui·n lo somni·s delita», raona també a través de cinc referents exemplars que el record del bé perdut és un subtil verí que mata. També com al poema I de March, la presentació dels successius exemples permet a Corella i als seus col·legues d'anar introduint matisos al tema inicial, que sovint són suggerits per la naturalesa mateixa de la «poesia» exemplificadora.[48]

Així doncs, la primera història ens narra la destrucció del matrimoni ben avingut de Cèfalo i Proca per la irrupció irracional i malaltissa de la gelosia; per això Berenguer Mercader, que ens la proposa, obre la seva intervenció amb una condemna de l'amor-passió que podria signar March. La ignorància dels efectes deleteris de la passió de la concupiscència és el que mou els homes a caure en les seves xarxes i a comportar-se no solament en contra dels preceptes del cristianisme, sinó també en contra de la raó (48-9). Mercader sentencia que el culpable és aquí Cèfalo, que, posant estúpidament a prova l'amor de l'esposa, la fa caure en la seva mateixa follia.

Després d'haver gaudit dels «arreaments» que l'amfitrió de la vetllada afegeix a la narració ovidiana, els seus oïdors ploren llàgrimes catàrtiques (453-5), i quan el nou narrador pren la paraula no es pot estar d'observar que ha pres nota de l'«alta sçiençia» (465) de l'exemple que acaba d'escoltar. Per això continua encara en la mateixa línia i proposa una nova història d'un marit feliç que perd l'esposa: el cas d'Orfeu i Eurídice. En el pròleg, el narrador, el Joan Escrivà que ja coneixem, afegeix a les consideracions de Mercader sobre la irracionalitat de la passió, el factor fortuna, capaç d'esguerrar les situacions més felices. Escrivà no filosofa sobre el tema, només l'apunta i en treu unes conseqüències morals, suggerides pel cas d'Orfeu, que aconsegueix momentàniament de rescatar l'esposa de la mort, que justifiquen l'evocació que he fet més amunt del poema I de March:

E axi als mesquins la passada prospera fortuna mes atribula, e, si lo esser estat

---

[48] Per al poder raonador dels suggeriments de les imatges marquianes, vegeu R. Archer, *The Pervasive Image* (Amsterdam-Philadelphia: John Benjamins, 1985) pp. 131-46.

benauenturat als entrestits mes que altra dolor entresteix, cobrar la perduda be-
nauentura los es causa de major alegria; pero, si apres de hauer la cobrada, se lei-
xa altra vegada perdre ¿qual dolor a tal segona perdua se acomparà?

(485-91)

Escrivà delecta la concurrència amb una amplificadíssima «visió» del
mite proposat i ens fa notar a la conclusió que Orfeu, víctima de fortuna,
no és del tot net de la irracionalitat de l'enamorat. El seu girar-se enrera,
que l'havia de perdre, és una manifestació més de les catàstrofes sorgides
de l'«estrema amor que jamés de temor nos aparta» (709-10). Els escolta-
dors es mostren tan corpresos com en el cas anterior i tots cauen en el man-
cament d'Orfeu, amb qui també catàrticament s'identifiquen quan miren
enrera a veure si els ve seguint alguna Eurídice.

Els dos oradors següents són més breus i més brutals. Potser perquè la
qüestió del fracàs de l'amor conjugal ja s'ha esgotat, plantegen ara el tema
de la perversitat femenina. Pensem que fins ara ni la més lleu ombra de mi-
sogínia no havia passat pels discursos de Mercader i Escrivà. Vilarrasa,
com ja va notar Fuster, deixa anar una diatriba contra les dones, en la línia
del Tirèsias de Metge i de Jaume Roig, que ataca sobretot la deshonestedat
femenina (725-750), i Castellví li fa eco (896). Els dos exemples que apor-
ten pertanyen al cicle de Minos, rei de Creta; en el primer, el mític perso-
natge és l'objecte involuntari de la passió criminal d'una dona; en el se-
gon, el marit «hòrreament» burlat per les afeccions animalesques de la
seva esposa Pasífae. El motiu de la donzella que traeix el pare per amor és,
de fet, un exemple clar de les «supuracions» de la concupiscència, que no
té res de genuïnament femení; la història de Pasífae ja són figues d'un altre
paner. Francisco Rico, a «Caldesa, Carmesina y, otras perversas», ja va tra-
çar un mapa dels significats del tema de la dona que es complau en acobla-
ments repugnants, que, a través de la versió clerical que li imprimeixen
Ubertino da Casale i Eiximenis, acaba donant el tipus de la «perversa de
novel·la», real o fingida, com ara Caldesa i Carmesina. A l'origen del perso-
natge hi ha un *exemplum*, el de la màxima depravació de què és capaç la fe-
mella humana. El relat ovidià de Castellví, que recupera la versió clàssica
de tal *exemplum*, no fa més que complir la funció que hom li encomana: fer
palès que actes tan nefastos com el de Pasífae engendren una fama que «en
verçonya de la feminil condició, eternament dura» (978-9).

I ara ve quan, significativament, els contertulians reposen i, lluny de

les «perverses», convenen que no hi ha res com l'amistat entre barons ho-
nestos, etc. És el moment en què Corella renuncia a prendre la paraula i
s'atribueix el paper de «coronista». El relat de Próixita, que ve després i
tanca l'obra sense més comentaris finals, sembla haver de tenir alguna me-
na de valor conclusiu.

I la conclusió no es fa esperar: el mite de Tereu, Progmes i Filomela,
diu Próixita, mostra clarament que els mascles enfollits d'amor són capa-
ços de cometre crims espantosos, fins al punt de perdre tota llum intel·lec-
tual i ser pitjors que les bèsties ferotges. El furor possessiu de Tereu sobre
la cunyada Filomela, que el porta a empresonar-la i a mutilar-la per a po-
der-ne disposar sexualment, sembla un argument prou fort: l'amor genera
supuracions concupiscents incontrolables.

Vistes així les coses, potser podríem afegir alguna consideració entorn
de l'autoria de Corella pel que fa al *Parlament*. Si a més de delectar-se retò-
ricament, els hostes de can Mercader discutien sobre la naturalesa de l'a-
mor-passió i s'entretenien a buscar exemples ovidians que en substituïssin
d'altres d'igual valor però potser, per a ells — més exigents que Jaume Roig
i fins que March —, literàriament insípids, podem imaginar l'encàrrec de
la «corònica» d'una vetllada tan profitosa moralment i estètica com una
cosa perfectament enraonada: al darrera de l'entreteniment elegant hi ha-
via la convicció que es parlava assenyadament de veritats morals de gran
valor. I al meu entendre no anaven pas errats: la reflexió sobre l'amor, pre-
sent als textos mitològics corellians, representa una versió intel·ligent i ma-
tisada de les posicions cristianes ortodoxes condemnatòries de tota idea-
lització de la passió, madurada a través d'una experiència literària que,
sense sortir dels horitzons tradicionals, aprofita una part important dels
ensenyaments morals d'Ovidi, de Virgili o de Sèneca.[49] I és que Corella i
els seus amics trobaven en els «seus clàssics» allò que hi anaven a buscar.

---

[49] Aquestes són les fonts «segures». Corella, però, no s'està de res. Vegeu les
línies 592-6 de *La història d'Hero i Leandre*: «Hon es Homero, hon es Virgili, qui en
metres; hon es Demostenes, hon es Tuli, qui en prosa, hon son los tragics grechs e
latins poetes, que tanta dolor escriure puguen?» Sembla que, com al *Curial*, Homer
no és altra cosa que un molt misteriós doblet grec de Virgili; la mateixa analogia és
aplicable a Demòstenes, via Ciceró. Els representants de la poesia dramàtica no són
anomenats, potser perquè el model llatí, Sèneca (¿i per què no Ovidi?), és sentit bà-
sicament com un poeta.

IV. L'AMOR I LA GUERRA

Des de la perspectiva descrita fins ara podríem classificar les «poesies» mitològiques corellianes en dos grups: les paràboles amatòries de l'estil dels *rifacimenti* ovidians del *Parlament*, és a dir *Les lamentacions de Mirra, Narciso e Tisbe*, altrament dita *Lo jardí de amor*, i *La lamentació de Biblis, La història de Jasó e Medea* i *La història de Leànder i Hero*, per una banda; i, per una altra, les que pertanyen al cicle de Troia, és a dir *Lo juí*, que constitueix l'inici del relat, *Lo raonament entre Telamó e Ulixes, Les lletres de Aquil·les e Polixena* i *Lo plant dolorós de la reina Hècuba*, que en representa el final. *La història de Jasó i Medea* es podria incloure en el cicle troià, si les fonts de Corella calgués anar-les a buscar a les *Històries troianes* de Guido delle Colonne; tant Miquel i Planes com Riquer concorden, però, en una font ovidiana i senequiana, que és molt interessant. Per això aquesta, tan propera a *La història de Leànder i Hero*, cal col·locar-la dintre del primer grup.

Així doncs, les «paràboles amatòries» corellianes se'ns presenten com una extensa reflexió extreta dels ensenyaments dels antics a propòsit dels desastres que es deriven de l'amor-passió; completaré el que he dit a propòsit del *Parlament* amb algunes observacions sobre *La història de Leànder i Hero*, que, segons el parer de la crítica i a jutjar per l'ús que en fa Martí Joan de Galba al final del *Tirant*,[50] és la millor peça del conjunt. En relació amb el cicle de Troia, en canvi, diré algunes coses sobre *Lo plant de la reina Hècuba*.

La qüestió de les fonts de *La història de Leànder i Hero* presenta el mateix tipus de problemes que el *Juí*. Els versos de les *Heroides* 18, *Leander Heroni* i 19, *Hero Leandro*, semblen tan allunyats del text de la nostra «poesia» que vénen ganes de pensar en una altra font d'inspiració. Ja hem vist més amunt, però, que és possible imaginar una àmplia llibertat en la manipulació dels originals amb interferències d'ordre força divers.[51] En el nostre cas, em sembla plausible que l'al·lusió als amants de banda i banda dels Dardanels o l'Hel·lespont inclosa als versos 258-63 de la tercera *Geòrgica* virgiliana tingui algun paper en la «poesia» corelliana, si més no pel que fa

---

[50] Vegeu *HLC*, vol. III, pp. 310-1, nota 22.
[51] El sarcasme de Miquel i Planas, a la p. lvii d'*Obres*, a propòsit dels anacronismes de la representació del món grec de Corella no és certament la millor manera de dilucidar la qüestió.

a la seva lectura moral. Els versos de Virgili, en efecte, pertanyen a un cant que tracta de la grandesa de les forces tel·lúriques de l'amor i de la mort: el poeta il·lustra el tema amb una descripció famosa de les lluites dels toros per la possessió de la femella i, després d'haver observat que la fúria cega de l'instint sexual és igual en els animals i en els homes, aporta un nou exemple, el de Leandre, que es va ofegar per atènyer la seva Hero, sense però dir-nos-en el nom. L'ensenyament virgilià degudament cristianitzat ressona arreu en els comentaris que el nostre narrador del mite de Leandre afegeix a la descripció dels fets, per exemple:

> O escura seguetat daquells qui desordenadament amen! E ab quin animo, ab quina sotliçitut e diligencia treballen ensemps lanima e la vida perdre! O, animosa por de aquells qui, reçelant, temen los perills de viçios morir e viure, e, ab inuençible e discret animo, per lo regne del cel la vida abandonen! (369-375)

No és cap cas d'evidència literal, però el conjunt del *locus* virgilià sembla interessant, ja que també forma part del rerafons culte d'una esparça d'Ausiàs March, com vaig tenir ocasió d'assenyalar.[52]

No hi ha dubtes a propòsit del sentit de l'*exemplum* de Leandre, però creixen, en canvi, les sospites pel que fa a les possibles fonts interposades, ja que Corella opera una transformació dramàtico-narrativa del mite molt ben construïda i amb l'addició d'una sèrie de detalls, la investigació dels quals algun dia donarà algun resultat. ¿En quina comèdia elegíaca llatina, per exemple, es podrien dir respectivament Latibula, Austerus i Exosus, la dida, el pare i el promès no desitjat d'Hero? Aquests tres noms no són més que un petit detall de la profunda reelaboració del mite present en la «poesia» corelliana.

Miquel i Planas, per exemple, comenta que la mort d'Hero és una creació del nostre autor, ja que a les *Heroides* aquest detall és omès (els autors de les cartes són òbviament vius) i la tradició vol que Hero, com Melibea, es deixi caure des d'una torre. Li sembla, a més, que el procediment emprat per la suïcida, clavar-se la copagorja que troba a la cintura de Leandre, depèn del mite de Tisbe. Observa també l'estricta coherència del relat, ja que Leandre se cenyeix el ganivet en qüestió sobre una camisa filada per Hero a les línies 346-8 del text. En primer lloc, la travessia dels Dardanels

---

[52] «Sí com lo taur...», *Els marges*, 22 i 23 (1981), 19-31, especialment 26-9.

en camisa[53] no és altra cosa que un dels molts detalls d'indumentària que tant agraden a Corella (vegeu els vestits que duen les deesses del *Juí*); en segon lloc, el gest d'Hero també podria recordar el de la més cèlebre de les suïcides clàssiques al segle xv peninsular: aquella Dido que preocupava tant l'autor del *Curial*[54] i que es clava l'espasa d'Eneas als vv. 663-5 del llibre IV del poema virgilià.[55] Caldria, doncs, emmarcar l'anàlisi d'aquest punt en el tema del suïcidi amorós femení; tal vegada podríem extreure'n algunes clarícies sobre la mort de Carmesina, que, tot i repetir de la mà de Galba les paraules de la nostra Hero sobre el cos de Tirant, no necessita després, igual que el seu estimat, forçar la natura per a deixar de viure: ¿una solució neta i elegant imaginada per aquell geni que era Martorell?[56]

La recomposició dramàtico-narrativa del mite clàssic, de què parlava més amunt, mereixeria un estudi a part. La caracterització del personatge de la dida com una mitjancera i la de la donzella com una noia de bona família que ha de mantenir relacions clandestines amb un enamorat que no li ha estat destinat en matrimoni són ingredients de la construcció d'un model novel·lístic que caldria veure en la perspectiva de la narrativa peninsular del xv; es fa certament difícil de compaginar aquesta operació, però, amb la naturalesa «poètica» que Corella i els seus amics i contertulians atribuïen als textos que ens ocupen. Al costat d'això, segurament perden interès els «anacronismes» i les confusions geogràfiques que fan, per exemple, que l'europea Sestos, on vivia Hero, i la tràcia Abidos, pàtria de Leandre, les dues viles a banda i banda dels Dardanels, esdevinguin illes de l'arxipèlag grec (5-7).

Justament ha fet notar Riquer la singularitat dels versos estramps que Corella intercala en aquesta «poesia»; a banda de la seva qualitat i de la fama de què van gaudir alguns,[57] cal observar que apareixen situats en els

---

[53] Vegeu *Her.* 18, vv. 33-34: «Ter mihi deposita est in sicca vestis harena, / ter graue temptavi carpere nudus iter».

[54] Vegeu els meus treballs esmentats a la nota 11.

[55] Recordem la famosa notícia de les lectures públiques de l'*Eneida* sufragades per l'Ajuntament de València; J. Vives i Liern, *Las casas de estudios en Valencia* (València: 1902), p. 71.

[56] Vegeu encara la meva discussió sobre la mort de Càmar als treballs sobre el *Curial* repetidament esmentats (vegeu el text 5 d'aquest llibre).

[57] L'epitafi de Tirant i Carmesina depèn, com és sabut, del dels nostres herois corellians.

moments clau de la història: quan Leandre i Hero prenen consciència per separat del seu enamorament (96-104 i 151-3), quan Leandre es llança al mar en tempesta que el farà morir i quan mor (361-8 i 422-5), i finalment quan la noia dicta l'epitafi de tots dos just abans de llevar-se la vida. Es tracta de moments sentimentals perfectament homologables amb els de la tradició trobadoresca[58] que s'han incorporat a la narració com a peces decoratives, dignes de figurar inscrites al peu d'una versió plàstica del relat.

En l'economia estètica i moral de Corella, però, l'element que té més interès és la lenta i minuciosa reconstrucció de la catàstrofe final, operació en la qual li podien ser de gran utilitat precisament les *Heroides* 18 i 19, ja que són totes plenes de dalt a baix del tema del negre presagi d'una mort que sotja.[59] És el càstig de la supuració concupiscent, anunciat per Corella en el moment mateix en què Hero consenteix al matrimoni secret amb Leandre i a les seves visites nocturnes:

> Quant fora millor a Hero soferir qualsevol tristor ho pena, ans que furtadament contractar matrimoni ab Leander! E si ans per dolor fos morta contrastant a viçi, fora la sua mort vida eterna, digna de premi, hi ara en los inferns no sentiria aquella pena inhefable, quels miserbles desesperats eternament senten.
>
> (240-247)[60]

No és aquesta l'única nota infernal del relat. Corella es complau àmpliament en el tema, sobretot en la part de la «poesia» que sembla més original, és a dir la que separa la mort de Leandre de la d'Hero, presidida per una aparició fantasmal del xicot mort de poc entre els dos planys de la

---

[58] En els versos que diu Leandre en ofegar-se pronuncia el nom de l'estimada, de manera que, quan el seu cos arriba a Sestos, «en la boca morta aquell gest guardava, ab lo qual lo nom de Hero se pronúncia» (435-7). Serva, així, mort, sobre la faç l'empremta de l'estimada, com volia Jordi de Sant Jordi al seu poema «Jus lo front port».

[59] També la descripció de les primeres travessies felices del braç de mar de les línies 270-93 poden recordar les evocacions corresponents de l'*Heroida* 18, vv. 75-96. Per als presagis de mort, vegeu el record recurrent del mite d'Helle, ofegada en el freu que porta el seu nom (19, 123-4) i l'aparició final del dofí mort (*ibid.*, 199-202).

[60] Vegeu que Corella suggereix la «mort neta» de Carmesina de què parlava més amunt.

noia, abans de saber-ne l'ofegament i després. Tota aquesta dramatització de la catàstrofe final deu obeir a records clàssics, tals com alguns episodis senequians de què parlarem més avall o la mateixa visió de Dido que té Eneas al cant VI de l'*Eneida* (vv. 450-76). En qualsevol cas, em sembla important de remarcar la insistència corelliana en la condemna moral del comportament dels desgraciats amants, present en els mots que Hero adreça al fantasma, davant del qual, com Ausiàs March al poema 95 en circumstàncies anàlogues, no té cap por i amb qui ja pensa de davallar al cercle infernal dels luxuriosos com Paolo i Francesca:

No passes auant, laugera ombra, que yo nom espante ... E no penses, anima mia de Leander, larch espay yot detingua; comporta que al teu cos meu yo done sepoltura, hi apres, ensemps ab la mia, deuallaras als regnes de Pluto, que vn carçre, una pena, unes cadenes, apres la mort liguen aquelles dos animes, les quals una amor havia liguat en vida; e axi los cossos morts, abraçats, estaran en vn sepulcre, e nosaltres, en dolor viuint, juntes en una pena.   (577-591)

El to apocalíptic que s'insinua al final de *La història d'Hero i Leànder* és el que domina la «poesia» més característica dels gustos del nostre autor: *Lo plant dolorós de la reina Hècuba*. En aquest text les catàstrofes generades per l'amor són substituïdes pels horrors que provoca la guerra, una guerra nascuda, però, com bé sabem, per una d'aquelles explosions de la concupiscència que va ser capaç d'enfollir dues col·lectivitats senceres. L'espectacle esgarrifós de la matança dels troians vençuts és un dels temes entorn del qual successives lleves d'escriptors antics, grecs i llatins, van posar a prova la seva habilitat per a suggerir «i piú paurosi abissi dell'umana passionalità». En aquesta mena de negocis literaris no hi ha dubte que el teatre de Sèneca ens ofereix realitzacions magnífiques, que segurament entusiasmaven Corella i els seus amics pel que tenen d'aparatosa ampul·lositat, d'erudició enlluernadora i d'autèntic gust pel macabre i per l'exploració de «le piú pavorose perversioni». No cal dir que Sèneca garanteix també les lectures morals: les històries de la literatura arriben a descriure les seves tragèdies com «tesi morali sceneggiate».[61]

---

[61] Totes les citacions crítiques sobre Sèneca en italià pertanyen al capítol que Ettore Paratore dedica a les seves tragèdies a *Storia della letteratura latina* (Florència: Sansoni, 1976), pp. 576-95. Donat que no hi cap sospita que l'erudició de Corella

Així doncs, tal com ens han ensenyat a fer Miquel i Planes i Riquer,[62] cal llegir el llarg parlament de la reina Hècuba al primer acte de les *Troades* senequianes per a començar a entendre la nostra «poesia». Afegim també que el to de l'horror corellià és, com veurem, molt més contingut que el del moralista antic; és la mateixa sensació que s'experimenta llegint Ausiàs March al costat de Lucà.[63] Aquests gegants de l'era de la casa Júlioclàudia aclaparen els nostres homes del xv, que, tanmateix, mostren amb ells un colla d'afinitats en els gustos literaris. En el cas de Corella que ens ocupa, és també instructiu posar de costat el dolor d'Hècuba, que contempla la degollació del seu poble i dels seus parents més pròxims, amb el de la Verge descrit a la famosa *Oració*; només cal pensar que el nostre text és qualificat pel seu autor de *Plant dolorós* i que els motius d'Hècuba no es poden identificar exclusivament amb els de l'Hero del text que vèiem suara. Potser la contenció del nostre autor en relació amb el seu model té alguna relació amb una dignificació del sofriment d'arrel cristiana.[64]

L'edició *princeps* de les tragèdies de Sèneca és del 1484. Amb això no suggereixo que Corella l'hagués aprofitada; només voldria marcar distàncies amb el pseudo-Vilaregut,[65] hereu d'una tradició de floretes moralitzades de les tragèdies del cordovès, totalment aliena a la sintonització que experimenta el nostre autor amb ell. Les adaptacions catalanes de les tragèdies senequianes, que encara llegim en l'edició de Gutiérrez del Caño, en efecte, són una de les mostres més eloqüents de la diversa qualitat que

---

anés més enllà dels textos del conseller de Neró, és inutil fer excursions per la tragèdia grega i successives seqüeles.

[62] Aquest darrer afegeix a la nota 16 de la p. 309 d'*HLC*, vol. III, que potser també cal afegir un fragment ovidià de *Met.* XIII, 488.

[63] Vegeu encara el meu article «*Sí com lo taur...*», citat a la nota 52.

[64] El model sublim de la *mater dolorosa* redimeix Hècuba de la condició de gossa ferida que lladra el seu dolor que li atribueix el mite antic.

[65] Jordi Rubió descriu la situació a les pp. 219 ss. de la seva *Història*, citada a la nota 6. El problema de la possible atribució de la traducció a Antoni de Vilaregut es relaciona amb el de la datació (¿abans de 1400 o després de 1437?). Vegeu T. Martínez, «Sobre l'autoria de la traducció catalana de les tragèdies de Sèneca», *Miscel·lània Badia i Margarit*, 3 (Montserrat: Publicacions de l'Abadia, 1985), pp. 135-156, i, del mateix, el treball esmentat a la nota 23. L'edició de Gutiérrez del Caño és de València, 1914.

poden oferir els múltiples diletantismes classicitzants dels escriptors de la tardor medieval catalana: el pseudo-Vilaregut pateix tots els mals de l'estretor de mires medieval en matèria filològica; Corella és un escriptor de cap a peus, que sap llegir intel·ligentment allò que li interessa de llegir en els textos antics que coneix.[66] Caldria afegir aquí tan sols alguna observació a propòsit de l'originalitat de la lletra de la «poesia» corelliana; de fet, es tracta de confirmar el que ja hem comprovat en relació amb els altres textos que hem examinat: els *rifacimenti* clàssics del nostre autor donen lloc a la construcció de peces estructuralment treballades, d'una perfecta coherència narrativa, que mereix un estudi particular.

Els dos primers paràgrafs del text que ens ocupa, tot i estar posats en boca de l'única veu narradora del text, la d'Hècuba, constitueixen una evocació d'antecedents amb clara funció prologal. Es tracta potser d'un dels *pezzi di bravura* més reeixits del nostre autor, ja que el «seu alt estil d'elegant poesia» hi aconsegueix de ser alhora extraordinàriament sintètic i colorísticament evocador. Corella comença situant el final de Troia en la perspectiva del relat de Guido delle Colonne, el qual descriu l'abominable traïció d'Eneas i Antènor, que van vendre la seva pàtria als grecs. Aquest acte vergonyós dóna entrada a una descripció retòricament carregada de l'espectacle dels munts de cadàvers escampats pels camps propers a Troia. L'observació sobre la transformació de la sang humana en adob pels camps atribueix una dimensió de grandesa al desolat panorama, ja que introdueix un motiu de distanciament reflexiu.

No triga a irrompre l'horror: l'odi dels difunts en acció de guerra és més fort que la mort mateixa i, com que la causa per la qual han sucumbit és vergonyosa i indigna, no es pot esperar que la serenitat els acompanyi, com passa amb els caiguts per l'ideal cristià del capítol 340 del *Tirant*: els cadàvers dels guerrers de la creu queden de cara amunt sense fer cap olor, i els dels moros, de cara avall, puden «com a cans».[67] El motiu indica com

---

[66] És una llàstima que K.A. Blüher no tingui notícia, en el seu llibre fonamental *Séneca en España* (Madrid: Gredos, 1983), de la «poesia» corelliana que ens ocupa, perquè hauria pogut matisar les seves irritades refutacions dels entusiasmes «humanístics» de Rubió i Lluch davant dels traductors catalans de les tragèdies (pp. 128-9), contrastant-les amb alguna cosa més substanciosa.

[67] Hi ha un *exemplum* a Esteve de Borbó amb lleus variants sobre aquest tema: «Item audivi a quodam quod, cum fuissent in campo ubi multa corpora iacebant

en la imaginació dels escriptors del xv l'aspecte material dels morts en combat simbolitzava la seva sort ultraterrenal. Corella fa culminar la descripció de l'aversió *post mortem* que es manifesten els caiguts de Troia amb la imatge de la flama bífida que s'enlaira sobre les fogueres que contenen tan sols els ossos despullats de la carn de guerrers dels dos bàndols. El motiu es relaciona originàriament amb la cremació dels fratricides tebans Etèocles i Polinices, recordada per Dante a propòsit del foc bimembre que embolcalla Ulisses i Diomedes.[68] Crec que aquestes dues frases són també un bon testimoni de la condemna de la guerra per part de Corella, que s'adiu tan poc a un cavaller com ell, segons que comenta la crítica, però que, en canvi, lliga tant amb el teòleg que també era. Les raons morals de la condemna són òbvies i perfectament homologables amb les que el mateix autor proposa al *Triunfo de les dones*.[69]

El text continua amb un crescendo d'horrors orquestrats per luctuosos parlaments posats per la narradora Hècuba en boca dels diversos personatges de la tragèdia, amb la qual cosa el seu discurs engloba el conjunt de l'acció, que no coincideix pas en els detalls amb la del model senequià, com ja ha estat observat. Esclaten els jocs d'antítesis a partir dels conceptes de vida i de mort, i no hi manquen els lívids fantasmes ensangonats, com ara el d'Hèctor, que s'apareix a la mare per advertir-li la imminent en-

---

crucesignatorum et Sarracenorum, cricesignati eciam mortui videbantur ridere; Sarraceni autem horribiles risus et vultus habebant» [igualment vaig sentir d'algú que, trobant-se en un camp en el qual jeien molts de cossos de croats i de sarraïns; els croats, morts i tot, semblaven riure; els sarraïns, en canvi, tenien cares i ganyotes horribles], Lecoy de la Marche, *Anecdotes historiques, légendes et apologues tireés du recueil inédit d'Etienne de Bourbon* (París: Librairie Renouard, 1877), p. 91.

[68] A *Inf.* XXVI, 54. El motiu, però, el retrobem en la *Tebaida* (XII, 429-32), en la *Pharsalia* (I, 551 ss.) i al senequià *Oedipus* (321-3). La comparació del crepitar del foc amb la combustió de la sal no l'he poguda documentar, tanmateix.

[69] Per donar coherència completa al seu pensament sobre aquest punt, faltaria saber tan sols a quins casos el nostre autor redueix la guerra justa, perfectament definida, d'altra banda, pels enciclopedistes de l'horitzó de Corella, com ara Eiximenis. Vegeu M. Peláez, «Las fuentes jurídicas de Francisco Eiximenis OFM y aspectos histórico-jurídicos inéditos del *Dotzè del Crestià*», *Archivo Ibero-americano*, XLI (1981), 481-504, i els capítols 651-68 del *Dotzè*, II, 1, (Girona: Col·legi Universitari i Diputació, 1986).

trada del carnicer Pirró a la cambra on es troben ella i el vell Príam, amb Cassandra i Políxena. En la tragèdia de Sèneca, Hèctor, com assenyala Miquel i Planas, s'apareix a Andròmaca, però Corella opera una reducció de l'argument que fa inútil aquest episodi. En la nostra «poesia», Andròmaca no amaga Astianacres a la tomba del seu pare per intentar inútilment de preservar-lo de les urpes del cruel Ulisses. En canvi, el motiu de l'aparició degué agradar a Corella, perquè permet una amplificació terrorífica en primera persona.

La brutalitat del discurs de Pirró és digna de la seva actuació. L'al·lusió que fa al fet que Príam va aconsellar a Paris el rapte d'Hèlena segurament procedeix de Guido delle Colonne, com recorda Miquel i Planas, però segurament també serveix per a aclarir els fils del raonament moral que hi ha al darrera de la tragèdia que s'està desenrotllant. La degollació de l'ancià va precedida d'un equívoc retòric de la millor estirp:

> Vine, rey de dolor ab corona de misèria: tu has engendrats molts fills per a l'espasa de mon pare, i ton pare a tu per a la mia. (116-119)[70]

Un dels moments més intensos de *Lo plant* (220-80) és la profecia de Cassandra. La veu de la vident, marcada per la ira impotent del vençut, anuncia una dolorosa captivitat per als qui sobreviuran a la matança, però també amenaça els grecs amb les esdevenidores desgràcies del retorn. En fer-ho sembla evocar el punt de mira de la justícia cristiana tal com l'entenia Corella: el crim de Paris desborda de conseqüències més enllà de la fi de Troia. No en va el nostre autor qualifica Cassandra de sibil·la.

El *crescendo* del qual parlava més amunt es refereix al fet que el relat d'Hècuba presenta successivament el cruent escapçament d'un ancià, d'una verge, Políxena, sacrificada com a víctima expiatòria sobre la tomba d'Aquil·les, i, finalment, el vil assassinat d'un infant, Astianacres. La descripció de la mísera fi d'aquest innocent clou el relat amb un paràgraf sintètic construït sobre el tòpic de la inefabilitat i sobre el de la rebel·lió de la natura inert davant dels crims dels homes, que és també una peça retòrica de consideració. La caiguda del cos de l'infant des de dalt de la torre, amb el conseqüent escampament de sang, fa que la tinta i el paper enrogeixin de manera que l'àvia ha d'interrompre's: no el paper sinó la roca dura cal

---

[70] No sé si es troba a l'altura un joc de conceptes semblant, a I *Samuel* 15, 32-34.

que sigui el suport per al relat del crim comès amb el fill d'Hèctor, la mateixa roca sobre la qual el seu tendre cos es va estavellar.

Davant d'aquesta recargolada i intensíssima contenció de Corella, cal convenir que els dos parlaments del *nuntius* senequià, que clouen la seva tragèdia relatant a unes troianes desesperadament supervivents les morts d'Astianacres i de Políxena, són d'una immediatesa impúdica. Vegeu la fi de l'infant:

> Quos enim praeceps locus
> reliquit artus? ossa disiecta et gravi
> elisa casu; signa clari corporis,
> et ora et illas nobilis patris notas
> confundit imam pondus ad terram datum;
> soluta cervix silicis impulsu, caput
> ruptum cerebro penitus expresso — iacet
> deforme corpus.

[¿Quins membres ha deixat sencers el lloc alt d'on va caure? Ossos desencaixats i romputs per la greu caiguda; els trets del cos il·lustre, la cara i aquelles nobles semblances amb el pare, els ha esborrats l'impacte amb el sòl d'allà baix; un coll partit pel cop de les pedres, un cap trencat amb escampament de cervell — jeu un cos mutilat.][71]

[1987]

---

[71] Versos 1110-7 de *Les troianes*; vegeu L.A. Senecae, *Tragœdiae*, ed. O. Zwierlein (Oxford: University Press, 1986), p. 96.

ÍNDEX DE NOMS

Aquest índex ha estat confeccionat per Sergi Gascon.

ÍNDEX GENERAL

195

Aquesta edició de
De Bernat Metge a Joan Roís de Corella:
Estudis sobre la cultura literària
de la tardor medieval catalana,
de Lola Badia,
s'ha acabat d'imprimir,
a Barcelona,
el quinze de setembre
del mil nou-cents vuitanta-vuit.